Monografías de climatización
y ahorro energético

Aislamiento térmico

Lluís Jutglar i Banyeras

Profesor titular de Física Aplicada
Facultad de Física de la
Universidad de Barcelona

ediciones
ceac

Nota: En el texto se utiliza la coma (,) para marcar los decimales, pero en el programa de ordenador se ha utilizado la notación anglosajona y los decimales se marcan con punto (.).

Diseño de cubierta: Víctor Viano
Ilustraciones: Luis Bogajo
Diseño del programa Ceacat: Lluís Jutglar

© Lluís Jutglar
© Grupo Editorial Ceac, S.A., 1998
Para la presente versión y edición en lengua castellana
Ediciones Ceac es marca registrada por Grupo Editorial Ceac, S.A.
ISBN: 84-329-6558-8
Depósito legal: B. 33.026-1998
Gráficas y Encuadernaciones Reunidas, S.A.
Impreso en España - *Printed in Spain*
Grupo Editorial Ceac, S.A. Perú, 164 - 08020 Barcelona
Internet: http://www.ceacedit.com

CONTENIDO

1
NOCIONES BÁSICAS DE TRANSMISIÓN DE CALOR

Cuando dos puntos están a distinta temperatura, se transmite energía calorífica desde el punto más caliente al más frío; la forma de transmisión depende del medio que separa esos puntos. Estas formas distintas se conocen como *mecanismos de transmisión de calor*, y son los siguientes:

Conducción: tiene lugar cuando entre los dos puntos existe un medio material, sea buen conductor del calor o no. El medio material puede ser sólido, líquido o gaseoso, pero no hay superficies de separación entre distintas fases.

Convección: la transmisión se realiza entre una superficie y un fluido (líquido o gas) en contacto, que se encuentran a distinta temperatura.

Radiación: es el mecanismo utilizado cuando el calor se transmite de un punto a otro sin que sea necesario un medio material entre ambos. Es el único mecanismo que permite la transmisión en el vacío.

En los procesos reales algunos casos pueden explicarse y calcularse mediante uno de estos mecanismos, como, por ejemplo, la transmisión de calor a través de una varilla metálica, que puede justificarse perfectamente por conducción, o bien por la llegada de calor a la Tierra procedente del Sol, es decir, por radiación.

La mayoría de los casos habituales requiere dos o tres mecanismos para que la explicación sea correcta. Tal es el caso del enfriamiento del agua caliente que circula por el interior de una tubería que discurre por un recinto más frío: el calor debe pasar del agua a la pared de la tubería (convección) a través de la pared metálica (conducción), y de la superficie exterior de la tubería al aire circundante (convección) y a las paredes del recinto (radiación).

A lo largo de este capítulo expondremos las ideas básicas y las ecuaciones necesarias para explicar correctamente las aplicaciones prácticas del capítulo 2 y utilizar con sensatez el material informático del capítulo 3.

1.1. Conducción [1, 3 y 6]*

Un buen ejemplo lo tenemos en la transmisión de calor a través de una barra metálica con los extremos a distinta temperatura; el calor se transmite desde el extremo caliente al frío. La cantidad de calor por unidad de tiempo (Q) que se transmite entre ambos extremos viene dada por la ecuación de Fourier:

$$Q = -S \lambda [(t_2 - t_1) / L]$$

donde:

Q es el flujo de calor.
S es la sección recta de la barra.
λ es la conductividad térmica del metal.
t_1 es la temperatura del extremo caliente.
t_2 es la temperatura del extremo frío.
L es la longitud de la barra.

Esta misma ecuación puede escribirse en la forma:

$$q = -\lambda \, dt / de$$

* Los números entre corchetes se refieren a la Bibliografía.

10

donde:

q es el calor conducido por unidad de tiempo y superficie.
dt es la diferencia de temperatura entre dos puntos muy próximos.
de es la separación entre ambos.

El cociente dt/de se conoce como *gradiente térmico*, y el signo negativo indica que los diferenciales dt y de son de distinto signo.

La conductividad de una sustancia es una propiedad física que depende de su estado y de la temperatura. Se expresa en unidades de energía por unidad de tiempo, unidad de longitud y unidad de temperatura, como por ejemplo kcal/h m K, o bien en unidades de potencia, unidad de longitud y de temperatura, como por ejemplo W/m K. En la tabla 1.1 se incluye una pequeña lista de distintas sustancias y su conductividad.

Tabla 1.1. Conductividad de algunas sustancias a temperatura ambiente [1, 2].

Material	λ en W/m K	λ en kcal/h m K
Cobre	380	327
Acero dulce	54	46
Mortero	1,4-0,72	1,2-0,62
Arena seca	2,3-1,15	2,0-0,99
Arena húmeda	2,9-1,44	2,5-1,24
Perlita expandida	0,072	0,062
Agua	0,61	0,52
Aceite térmico	0,13	0,11
Aire	0,026	0,022

Esta sencilla tabla puede servirnos para ilustrar una serie de ideas interesantes respecto de la conductividad que conviene tener presentes:

– La conductividad varía considerablemente de una sustancia a otra. Hay sustancias que conducen muy bien el calor, por ejemplo el cobre, y otras que son malas conductoras, como la perlita expandida, que se utilizan como aislantes térmicos. Así, si tenemos una barra de cobre de 10 m de longitud y 0,01 m² de sección con un extremo a 20 °C y el otro a 200 °C, el calor conducido por unidad de tiempo será:

$$Q = 0,01 \times 380 \times [(200 - 20)/10] = 68,4 \text{ W}$$

Para conducir la misma cantidad de calor, si la barra fuera de acero dulce debería tener una longitud de:

$$L = 10 \times (54/380) = 1,42 \text{ m}$$

y si fuera de perlita expandida, debería reducirse a una delgada lámina de 1,9 mm de espesor, suponiendo que pudiera construirse y no intervinieran otros efectos.

– La presencia de humedad (véanse los datos para arena seca y húmeda) altera el valor de la conductividad y hace que aumente en la mayor parte de los casos. Dado que la mayoría de aislantes térmicos son porosos, si se humedecen, los poros se llenan de agua, lo que aumenta su conductividad y provoca un decrecimiento notable de su poder aislante.

– Los líquidos, en general, son malos conductores del calor, y los gases, todavía más. El poder aislante de los materiales porosos se basa, en gran parte, en el hecho de que los poros están llenos de gas y éste es un mal conductor de calor. Así se explica que la conductividad de un material poroso disminuya al aumentar su densidad.

En la tabla anterior se indica que las conductividades indicadas son las correspondientes a la temperatura ambiente. Ello se debe a que la conductividad depende de la temperatura a que se encuentra el material, y este hecho deberá tenerse en cuenta cuando se calcule el calor transmitido por conducción. A título de ejemplo, en la figura 1.1, se muestra la variación de la conductividad frente a la temperatura en algunas sustancias.

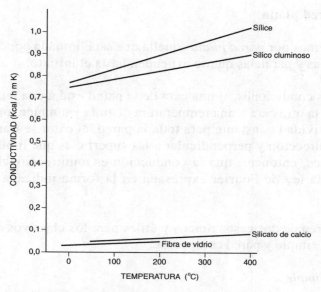

Figura 1.1. Gráfica conductividad-temperatura.

Si comparamos la ecuación de Fourier para la conducción de calor con la ecuación de Ohm para la conducción de electricidad, nos damos cuenta de que existe una semejanza notable entre ambas.

Conducción de calor:	Conducción de electricidad:
ley de Fourier	ley de Ohm
$Q = -S\lambda\,[(t_2 - t_1)/e]$	$I = (1/R')\,V$
Q = calor por unidad de tiempo.	I = carga eléctrica por unidad de tiempo (intensidad).
$t_2 - t_1$ = diferencia de temperatura.	V = diferencia de potencial.
$\dfrac{e}{S\lambda}$ = R resistencia térmica.	R' = resistencia eléctrica.

Así, podemos escribir la ecuación de Fourier de la siguiente forma:

$$Q = (1/R)\,(t_2 - t_1)$$

la cual simplifica notablemente los razonamientos que se expondrán a continuación.

13

1.1.1. Pared plana

Entendemos por *pared plana* aquella que está limitada por dos superficies planas y paralelas que se extienden hasta el infinito.

En estas condiciones, si una cara de la pared está a una temperatura uniforme, la otra cara a una temperatura distinta y también uniforme, y la conductividad constante para toda la pared, el calor se transmite en una sola dirección y perpendicular a las superficies que limitan la pared. Se dice, entonces, que la conducción es unidireccional y puede aplicarse la ley de Fourier expresada en la forma indicada anteriormente.

Estudiaremos dos casos típicos y útiles para los objetivos de este libro: pared simple y pared compuesta.

a) Pared simple

Es evidente que en la realidad no existen paredes como la descrita; sin embargo, cuando tenemos una pared cuyo espesor es mucho menor que las otras dos dimensiones, largo y ancho, de tal manera que puede aceptarse que el calor transmitido a través de los bordes es despreciable, podemos tratarla como si fuera una pared plana.

La pared plana representada en la figura 1.2a puede asimilarse al circuito eléctrico equivalente de la figura 1.2b, una simple resistencia. La gráfica de la figura 1.2c representa la variación de temperatura a través de la pared cuando se ha establecido el régimen estacionario (todas las magnitudes permanecen constantes a lo largo del tiempo).

b) Pared compuesta

Si la pared está formada por capas de materiales de distinta conductividad (Fig. 1.6), y suponemos un régimen estacionario, el calor que atraviesa una capa también pasa a través de las demás, puesto que no hay fugas de calor laterales, lo que expresamos como sigue:

Flujo de calor a través de la primera capa:

$$Q = S \, \lambda_1 \, [(t_1 - t_2)/e_1] = (t_1 - t_2)/R_1$$

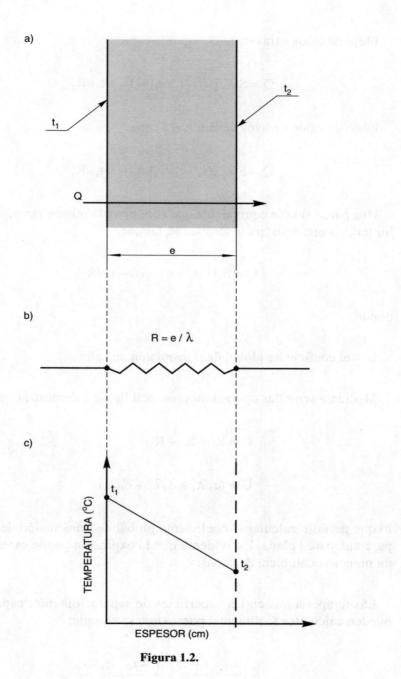

a)

b)

$$R = e / \lambda$$

c)

Figura 1.2.

15

Flujo de calor a través de la segunda capa:

$$Q = S\,\lambda_2\,[(t_2 - t_3)/e_2] = (t_2 - t_3)/R_2$$

Flujo de calor a través de la tercera capa:

$$Q = S\,\lambda_3\,[(t_3 - t_4)/e_3] = (t_3 - t_4)/R_3$$

Una pared simple equivalente que condujera la misma cantidad de calor tendría una resistencia térmica R, tal que:

$$Q = S\,U\,(t_1 - t_4) = (t_1 - t_4)/R$$

donde:

U = el coeficiente global de transmisión de calor.

Mediante sencillas operaciones, es fácil llegar a demostrar que:

$$R = R_1 + R_2 + R_3$$

$$U = (e_1/\lambda_1 + e_2/\lambda_2 + e_3/\lambda_3)^{-1}$$

lo que permite calcular el coeficiente global de transmisión de calor U para una pared plana. Es evidente que la expresión puede extenderse a un número cualquiera de capas.

Las temperaturas en las superficies de separación entre capa y capa pueden calcularse fácilmente, puesto que se cumple:

$$\frac{t_1 - t_2}{R_1} = \frac{t_2 - t_3}{R_2} = \frac{t_3 - t_4}{R_3} = \frac{t_1 - t_4}{R}$$

1.1.2. Pared cilíndrica

Sea una pared cilíndrica de radio interior r_1, radio exterior r_2, longitud L y conductividad λ, como indica la figura 1.3. Si el régimen es estacionario, el flujo de calor que atraviesa la superficie interior también pasa a través de la superficie exterior y cualquier otra superficie concéntrica.

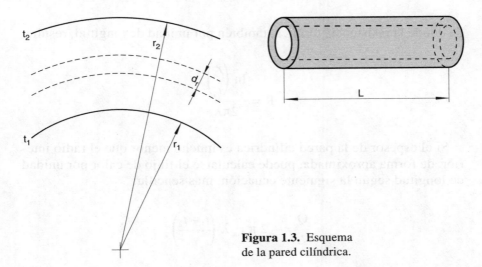

Figura 1.3. Esquema de la pared cilíndrica.

Aplicando la ley de Fourier entre dos superficies cilíndricas concéntricas muy próximas, de radio r y r+dr (Fig. 1.3), tendremos:

$$Q = -S \lambda \, (dt/dr)$$

y sustituyendo la superficie por su valor:

$$Q = -2\pi r L \lambda \left(\frac{dt}{dr}\right)$$

expresión que, una vez integrada entre las superficies extremas, resulta:

$$Q = -2\pi L \lambda \left(\frac{t_1 - t_2}{\ln\left(\dfrac{r_2}{r_1}\right)}\right)$$

17

que por unidad de longitud será:

$$\frac{Q}{L} = -2 \pi \lambda \left(\frac{t_1 - t_2}{\ln \left(\frac{r_2}{r_1} \right)} \right)$$

de donde la resistencia térmica, también por unidad de longitud, resulta:

$$R = \frac{\ln \left(\frac{r_2}{r_1} \right)}{2\pi\lambda}$$

Si el espesor de la pared cilíndrica es mucho menor que el radio interior, de forma aproximada, puede calcularse el flujo de calor por unidad de longitud según la siguiente ecuación, más sencilla:

$$\frac{Q}{L} = -2 \pi r_m \lambda \left(\frac{t_1 - t_2}{e} \right)$$

donde:

$r_m = (r_2 + r_1)/2$ es el radio medio de la pared.
$e = r_2 - r_1$ es el espesor de la pared.

Esta simplificación equivale a considerar la pared cilíndrica como si fuera plana y de superficie igual a la media entre la interior y exterior.

Si la pared está compuesta por una serie de capas de distintos materiales, podemos tratarla de forma similar a la pared plana. Utilizando el símil de la asociación de resistencias en serie (Fig. 1.4), para el caso de tres capas, obtenemos:

$$R_1 = \frac{\ln \left(\frac{r_2}{r_1} \right)}{2\pi\lambda_1} \quad R_2 = \frac{\ln \left(\frac{r_3}{r_2} \right)}{2\pi\lambda_2} \quad R_3 = \frac{\ln \left(\frac{r_4}{r_3} \right)}{2\pi\lambda_3} \quad R = R_1 + R_2 + R_3$$

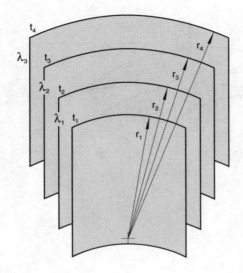

Figura 1.4. Esquema de la pared cilíndrica compuesta.

El coeficiente global de transmisión de calor referido a la unidad de longitud será:

$$U_L = \frac{1}{R} = 2\pi \left[\frac{\ln\left(\dfrac{r_2}{r_1}\right)}{\lambda_1} + \frac{\ln\left(\dfrac{r_3}{r_2}\right)}{\lambda_2} + \frac{\ln\left(\dfrac{r_4}{r_3}\right)}{\lambda_3} \right]^{-1}$$

y el calor transmitido a través de una superficie cilíndrica de longitud L:

$$Q = U_L\, L\, (t_1 - t_4)$$

1.1.3. Pared esférica

El flujo de calor por conducción a través de una pared esférica, se deduce siguiendo el mismo método que para la pared cilíndrica, pero teniendo en cuenta que, en este caso, la superficie que se debe considerar viene dada por:

$$S = 4\,\pi\,r^2$$

19

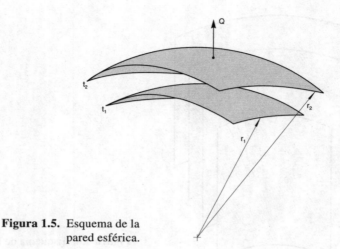

Figura 1.5. Esquema de la
pared esférica.

con lo cual el flujo de calor será (Fig. 1.5):

$$Q = 4 \pi \lambda \left(\frac{t_1 - t_2}{\dfrac{1}{r_1} - \dfrac{1}{r_2}} \right)$$

y la resistencia térmica:

$$R = \frac{\dfrac{1}{r_1} - \dfrac{1}{r_2}}{4\pi\lambda}$$

donde:

r_1 y r_2 son los radios interior y exterior de la pared esférica.
t_1 y t_2 son las temperaturas respectivas.
λ es la conductividad del material.

1.1.4. Ejemplos de cálculo

Ejemplo 1

Supongamos una pared compuesta y de 15 m^2 de superficie. La temperatura de la cara exterior es de –5 °C, la interior de 22 °C, y tiene la siguiente composición:

20

	Espesor de la capa (cm)	Conductividad (W/m K)
Enfoscado exterior de cemento	2	1,40
Ladrillo perforado	12	1,05
Capa de fibra aislante	4	0,038
Ladrillo hueco	9	0,49
Acabado con enlucido de yeso	1,5	0,30

Calcular el flujo de calor a través de la pared, la distribución de temperaturas y trazar la gráfica.

Solución:

Aplicando las ecuaciones para una superficie unidad ($S_i = 1$), obtenemos:

$$R_1 = 0,02 / 1,40 = 0,0143 \ m^2 \ K / W$$
$$R_2 = 0,12 / 1,05 = 0,1143 \ m^2 \ K / W$$
$$R_3 = 0,04 / 0,038 = 1,0526 \ m^2 \ K / W$$
$$R_4 = 0,09 / 0,49 = 0,1837 \ m^2 \ K / W$$
$$R_5 = 0,015 / 0,30 = 0,05 \ m^2 \ K / W$$

y, finalmente:

$$R = 1,41 \ m^2 \ K / W$$
$$U = 0,707 \ W/ \ m^2 \ K$$

El salto térmico a través del enfoscado será:

$$t_1 - t_2 = (22 - 5) \times (0,0143/1,41) = 0,27 \ °C$$

y la temperatura en la superficie de separación cemento-ladrillo perforado:

$$t_2 = -5 + 0,27 = -4,73 \ °C$$

El resto de temperaturas puede calcularse de forma análoga. Así, se obtiene:

$$t_3 = -2,55$$
$$t_4 = 17,54$$
$$t_5 = 21,05$$
$$t_6 = 22$$

y el calor transmitido, por unidad de tiempo, por conducción resulta:

$$Q = 0{,}707 \times 15 \times (22 + 5) = 286 \ W = 246 \ kcal/h$$

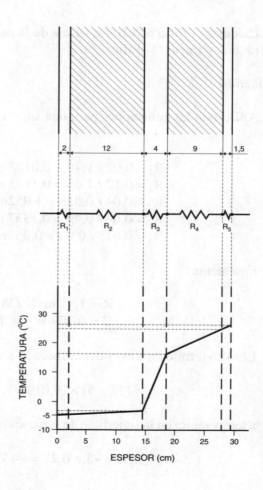

Figura 1.6. Esquema de la pared del problema planteado en el *Ejemplo 1*.

Ejemplo 2

Una tubería de acero está recubierta de material aislante. La temperatura de la superficie interior, de acero, es de 80 °C, y la exterior, de aislante, es de 20 °C. La longitud de la tubería es de 10 m, el radio interior de 24 mm, el espesor de 1,5 mm, el espesor del aislante de 30 mm, la conductividad del acero de 58 W/m K y la conductividad del aislante de 0,04 W/m K.

Calcular el flujo de calor conducido, la temperatura superficial acero-aislante y la del aislante a una distancia de 10 mm del exterior.

Solución:

Las resistencias térmicas son las siguientes:

Espesor de acero:

$$R_1 = \frac{\ln\left(\frac{25,5}{24}\right)}{2\pi \times 58} = 0,002 \text{ m K/W}$$

Espesor de aislante:

$$R_2 = \frac{\ln\left(\frac{55,5}{25,5}\right)}{2\pi \times 0,04} = 3,094 \text{ m K/W}$$

Total de la pared cilíndrica:

$$R = 0,002 + 3,094 = 3,096 \text{ m K/W}$$

El calor conducido por unidad de tiempo será:

$$Q = (1/3,096) \times 10 \times (80 - 20) = 194 \text{ W}$$

23

y la temperatura superficial acero-aislante:

$$\frac{80 - t_2}{0,002} = \frac{80 - 20}{3,096}$$

$$t_2 = 79,96 \ °C$$

Para obtener la temperatura a 10 mm del exterior, debemos calcular previamente la resistencia térmica del aislante:

$$R_a = \frac{\ln\left(\dfrac{45,5}{25,5}\right)}{2\pi \times 0,04} = 2,304 \ m \ K/W$$

y, finalmente, la temperatura:

$$t_a = 79,96 - (79,96 - 20) \times \frac{2,304}{3,094} = 35,31 \ °C$$

1.2. Convección [1, 3 y 5]

Cuando un fluido entra en contacto con una superficie más caliente, se transfiere calor desde la superficie a la delgada película de fluido que la toca directamente. Esta pequeña porción de fluido, que está más caliente que el resto, se aleja de la superficie y es sustituida por otra más fría. Si la superficie se encuentra más fría que el fluido, la transmisión de calor se efectúa en sentido contrario.

Este tipo de mecanismo de transmisión de calor, que implica movimiento de materia, se conoce como *convección* y se rige por la ley de Newton (Fig. 1.7).

$$Q = h \ S \ (t_1 - t_2)$$

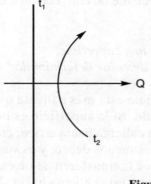

Figura 1.7.

donde:

Q es el flujo de calor por unidad de tiempo.
h es el coeficiente de convección.
t_1 es la temperatura de la superficie.
t_2 es la temperatura del fluido.

En este caso, utilizando también el símil eléctrico, tendremos que:

$$Q = (1/R) (t_1 - t_2)$$

donde la resistencia al paso de calor es:

$$R = 1 / (h S)$$

Se distinguen dos tipos de convección, la natural y la forzada. En los apartados siguientes, se presentan algunas fórmulas para el cálculo aproximado del coeficiente de convección.

1.2.1. Convección natural sin cambio de estado

La convección natural sin cambio de estado es aquella en la que el fluido se mueve debido a la diferencia de densidad ocasionada por la diferencia de temperatura. El fluido caliente es menos denso y tiende a ascender, mientras que el frío es más denso y tiende a descender.

En consecuencia, el coeficiente de convección *h* dependerá de una serie de factores, tales como:

*a) Posición relativa del fluido y superficie
para un sentido del flujo de calor determinado*

Por ejemplo, si la superficie está más caliente que el fluido, el calor pasa de la superficie al fluido. Si la superficie es horizontal y el fluido está situado encima, aquélla calienta hacia arriba; entonces, el fluido caliente asciende, puesto que es menos denso, y es sustituido por otro más denso y frío, lo cual favorece la transferencia de calor. Si el fluido está situado debajo de la superficie, ésta calienta hacia abajo; en este caso, el fluido caliente se acumula en la superficie, puesto que no puede ascender, lo que dificulta la transferencia de calor.

b) Forma y tamaño de la superficie

Una superficie plana de pequeñas dimensiones calentando hacia abajo deja que el fluido circule mejor que otra superficie de dimensiones mayores. En consecuencia, el calor transmitido por unidad de superficie será mayor en el primer caso que en el segundo.

*c) Diferencia de densidad entre la capa de fluido
en contacto con la superficie y el resto del fluido*

Imaginemos, por ejemplo, un cilindro vertical caliente en contacto con un fluido frío. La capa de fluido en contacto está más caliente que el resto y es menos densa. Una gota imaginaria de fluido caliente está sometida a una fuerza hacia arriba que es proporcional a la diferencia de densidades; la velocidad con que se mueve depende de la intensidad de la fuerza ascensional, al igual que la tasa de renovación de aire caliente por aire frío. A medida que se incrementa la diferencia de densidades, se intensifican las corrientes de convección y aumenta la turbulencia.

d) Propiedades físicas del fluido

La transmisión de calor depende de propiedades tales como la conductividad, el calor específico, la densidad y la viscosidad, que afectan al movimiento del fluido y a su comportamiento térmico.

De lo dicho anteriormente se deduce que no es fácil determinar el coeficiente de convección y que su valor depende de las condiciones del sistema. Tradicionalmente, el problema se aborda seleccionando las variables que intervienen y agrupándolas en números o grupos adimensionales, que en el caso de la convección natural son los siguientes:

Número de Nusselt:

$$Nu = h \, L \, / \, \lambda$$

Número de Prandtl:

$$Pr = c_p \, \mu \, / \, \lambda$$

Número de Grashof:

$$Gr = g \, \beta \, \Delta \, t \, L^3 / \, \nu^3$$

Número de Rayleigh:

$$Ra = Pr \, Gr$$

donde:

h   es el coeficiente de convección.
L   es la dimensión característica de la superficie (diámetro, longitud, altura, etc.).
λ es la conductividad del fluido.
c_p es el calor específico del fluido.
μ es la viscosidad dinámica.
g   es el valor de la aceleración de la gravedad.
β es el coeficiente de expansión.
Δt es la diferencia de temperaturas entre la superficie y la del fluido.
$\nu = \mu/\rho$ es la viscosidad cinemática.

Estos números adimensionales se relacionan entre sí mediante una expresión del tipo:

$$Nu = a \, (Gr \, Pr)^m = a \, Ra^m$$

en la que las constantes *a* y *m* se determinan experimentalmente y dependen de la superficie y del valor del número de Rayleigh.

Existen diversas fórmulas en la bibliografía, incluimos aquí algunas de las más usuales [1 y 3]:

Tabla 1.2. Algunas fórmulas aplicables a la convección natural (0,5 < Pr < 100).

Situación	Campo de aplicación n	a	m	Longitud característica
Superficie o cilindro vertical	$Ra > 10^4$	0,59	0,25	Altura de la superficie
	$Ra < 10^4$	0,13	0,33	o cilindro
Cilindro horizontal	$Ra > 10^4$	0,53	0,25	Diámetro del cilindro
	$Ra < 10^4$	0,13	0,33	

Las fórmulas anteriores son válidas siempre que no haya cambio de estado en el fluido, condensación o evaporación.

1.2.2. Convección forzada sin cambio de estado

Se entiende por *convección forzada*, la transmisión de calor cuando el fluido se mueve por causas distintas a la convección natural; por ejemplo, agua circulando por el interior de una tubería al ser impulsada por una bomba, circulación de aire movido por un ventilador, etc.

En estas condiciones se demuestra que la relación entre números adimensionales viene dada por:

$$Nu = a \, Re^m \, Pr^n$$

donde:

a, m y n son constantes que se determinan experimentalmente.
$Re = v \, D \, \rho / \mu$.
v   es la velocidad de circulación del fluido.
D   es el diámetro o longitud característica.
ρ es la densidad.

Algunas de las más usadas se resumen en la tabla siguiente [1 y 3]:

Tabla 1.3. Algunas fórmulas aplicables a la convección forzada.

Situación	N.Re	a	m	n	Longitud característica	Comentario
Interior de una tubería	< 2300	4,36	0	0	Diámetro interior	Flujo de calor constante
		3,65	0	0		Pared isoterma
	> 2300	0,023	0,8	0,4		El fluido se calienta
		0,023	0,8	0,3		El fluido se enfría
Sobre una superficie plana	< 3 × 10^5	0,664	0,5	0,33	Anchura de la placa	
	> 3 × 10^5	0,036	0,8	0,33		
Exterior de tubería flujo transversal	0,4-4	0,998	0,33	0,33	Diámetro exterior	
	−40	0,920	0,385	0,33		
	−4.000	0,639	0,466	0,33		
	−4 × 10^4	0,195	0,618	0,33		
	−4 × 10^5	0,027	0,805	0,33		

Debe tenerse en cuenta que si el fluido cambia de estado, se condensa o se evapora, las fórmulas anteriores no son válidas.

El *Manual de aislamiento industrial*, de Roclaine [5], propone las ecuaciones siguientes (unidades en m, h, kcal y K):

– Paredes verticales planas interiores y aire en calma:

$$h = 1,18 \left(\frac{t_1 - t_2}{H}\right)^{0,25}$$

donde:

H es la altura de la pared.

– Paredes horizontales interiores y aire en calma:

$$h = 2,8 \, (t_1 - t_2)^{0,25}$$

29

– Paredes exteriores teniendo en cuenta la velocidad del viento:

$$h = 4,8 + 3,4 \, v \qquad \text{si } v \leq 5 \text{ m/s}$$
$$h = 6,12 \, v^{0,78} \qquad \text{si } v \geq 5 \text{ m/s}$$

– Tuberías interiores y ambiente en calma:

$$h = 1,13 \left(\frac{t_1 - t_2}{D} \right)^{0,25}$$

donde:

D es el diámetro exterior.

– Tuberías al aire libre teniendo en cuenta la velocidad del viento:

$$h = 3,58 \, \frac{v^{0,8}}{D^{0,2}}$$

Cuando la tubería no es cilíndrica, se toma como diámetro, para la longitud característica, el diámetro hidráulico, que es:

$$D = 4 \, S \, / \, P$$

donde:

S es la superficie del área transversal de la tubería.
P es el perímetro transversal mojado por el fluido.

1.2.3. Ejemplo de cálculo

Ejemplo 3

Una tubería horizontal de 36 mm de diámetro exterior y 10 m de longitud está en contacto con aire en reposo. Su temperatura superficial es de 70 °C y la del aire de 10 °C.

30

Calcular el calor disipado por convección.

Solución

En las tablas para el aire localizamos los valores siguientes:

Calor específico:

$$c_p = 1,006 \qquad kJ / kg \; K$$

Densidad:

$$\rho = 1,14 \qquad kg / m^3$$

Conductividad:

$$\lambda = 0,027 \qquad W / m \; K$$

Viscosidad:

$$\mu = 3,84 \times 10^{-6} \quad kg / m \; s$$

Coeficiente de expansión:

$$\beta = 3,19 \times 10^{-3} \quad K^{-1}$$

A continuación, se calculan los números adimensionales (convección natural):

Prandtl:

$$Pr = 1,006 \times 3,84 \times 10^{-6} / 0,027 \times 10^{-3} = 0,143$$

Grashof:

$$Gr = 9,81 \times 3,19 \times 10^{-3} \times (70\text{-}10) \times \\ \times 10^3 / (3,84 \times 10^{-6})^3 = 3,316 \times 10^{13}$$

Rayleigh:

$$Ra = 0,143 \times 3,316 \times 10^{13} = 4,745 \times 10^6$$

Como el número de Prandtl cae fuera del intervalo especificado, los datos de la tabla 1.2 no son válidos, y acudimos a la fórmula:

$$h = 1,13 \times \left(\frac{t_1 - t_2}{D}\right)^{0,25}$$

$$h = 1,13 \times \left(\frac{70 - 10}{0,036}\right)^{0,25} = 7,22 \text{ kcal/h m}^2 \text{ K}$$
$$= 8,40 \text{ W/m}^2 \text{ K}$$

la superficie de transferencia es:

$$S = \pi \times 0,036 \times 10 = 1,131 \text{ m}^2$$

y, finalmente, el flujo de calor resulta:

$$Q = 8,40 \times 1,131 \times (70 - 10) = 570 \text{ W}$$

1.3. Radiación [1]

1.3.1. Leyes fundamentales

La radiación es la transferencia de calor en forma de energía radiante (ondas electromagnéticas) entre dos superficies a distinta temperatura. Al tratarse de radiación electromagnética, se propaga en línea recta, y, como la luz visible, al incidir sobre una superficie, se refleja una fracción y el resto la atraviesa, pasando de un medio a otro. Asimismo, la radiación queda atenuada por los medios que atraviesa, puesto que no son totalmente transparentes.

Un cuerpo emisor perfecto es un cuerpo ideal que cumple con la ley de Stefan-Boltzman, según la cual la energía radiante emitida por unidad de tiempo y unidad de superficie viene dada por:

$$E = \sigma T^4$$

32

donde:

$\sigma = 56{,}7 \times 10^{-9}$ W/m²K⁴ es la constante de Stefan-Boltzman.
T es la temperatura absoluta del cuerpo en grados Kelvin.

Para los cuerpos reales, el poder emisor es menor, y la ecuación anterior resulta:

$$E = \varepsilon\, \sigma\, T^4$$

donde:

$\varepsilon < 1$ es la emisividad de la superficie del cuerpo.

Así, el calor emitido por una superficie S, por unidad de tiempo, viene dado por:

$$Q = \varepsilon\, \sigma\, S\, T^4$$

Por otro lado, cuando un cuerpo recibe una radiación electromagnética (Fig. 1.7), una parte se refleja, otra se transmite y una tercera es absorbida. Comoquiera que la energía total debe mantenerse constante, se cumplirá:

$$\alpha + \rho + \tau = 1$$

donde:

α es la absortividad; fracción de radiación incidente absorbida.
ρ es la reflectividad; fracción de radiación incidente reflejada.
τ es la transmisividad; fracción de radiación incidente transmitida.

Así, tenemos que para un cuerpo:

Transparente perfecto: $\tau = 1$
Especular perfecto: $\rho = 1$
Absorbente perfecto: $\alpha = 1$
Totalmente opaco: $\alpha + \rho = 1$

El cuerpo ideal absorbente perfecto ($\alpha = 1$ para cualquier ángulo de incidencia y para cualquier longitud de onda) se conoce como *cuerpo negro*, pero en el caso de los cuerpos reales la reflectividad, la transmisividad y la emisividad dependen de la longitud de onda. Las superficies de los cuerpos reales se idealizan como *cuerpo gris*, para el cual el valor de la absortividad es independiente de la longitud de onda incidente.

En la aproximación teórica, también suele suponerse que el valor de los factores anteriores es independiente del ángulo de emisión o incidencia de la radiación sobre la superficie (comportamiento isótropo). En la realidad, esta condición tampoco se cumple de forma rigurosa y, en algunos casos, el comportamiento puede ser altamente anisótropo.

Imaginemos ahora un cuerpo, a una temperatura T, que está rodeado completamente por otro más caliente, a una temperatura T_1, que se comporta como un cuerpo negro (Fig. 1.8) y que emite una energía σT_1^4 por unidad de tiempo y superficie. Este cuerpo absorberá una cierta cantidad de energía por unidad de superficie, pero se verá afectada por la absortividad de aquél:

$$I = \alpha \, \sigma \, T_1^4$$

A su vez, y debido a su propio nivel térmico, emitirá también energía:

$$E = \varepsilon \, \sigma \, T^4$$

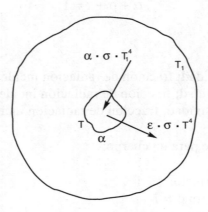

Figura 1.8.

34

y su temperatura aumentará hasta alcanzar el equilibrio térmico, momento en que la temperatura permanece invariable y se iguala a la de la superficie envolvente $(T = T_1)$.

Si la temperatura permanece invariable quiere decir que se emite toda la energía absorbida y, en consecuencia:

$$\alpha \, \sigma \, T_1^4 = \varepsilon \, \sigma \, T_1^4$$

de donde se deduce que la emisividad a una temperatura concreta será igual a la absortividad a la misma temperatura $\alpha = \varepsilon$ para cualquier superficie. En la tabla 1.4, se muestra la emisividad aproximada de algunas superficies a temperatura ambiente.

Tabla 1.4. Emisividades de distintas superficies.

Superficies	Emisividad
Cobre bien pulimentado	0,03
Cobre oxidado	0,8
Acero pulimentado	0,07
Acero galvanizado	0,3
Ladrillo rojo de construcción	0,9
Vidrio pulimentado	0,94
Papel blanco	0,97
Pintura blanca brillante	0,90
Pintura negra brillante	0,90
Pintura negra mate	0,97
Agua	0,95

Si un cuerpo negro de superficie S a la temperatura T_1 está rodeado completamente por otro cuerpo negro a la temperatura T_2, se producirá un intercambio de calor entre ambos que viene dado por la expresión:

$$Q = \sigma S (T_1^4 - T_2^4)$$

que suele escribirse, a fin de no trabajar con cantidades muy grandes, en la forma que sigue:

$$Q = 56,7 S \left[\left(\frac{T_1}{1.000} \right)^4 - \left(\frac{T_2}{1.000} \right)^4 \right]$$

donde:

Q   es el calor intercambiado en kW.
S   es la superficie en metros cuadrados.
T_1 y T_2 son las temperaturas absolutas en K.

1.3.2. Intercambio de calor entre superficies radiantes

Hasta aquí se ha supuesto que una de las superficies envuelve completamente a la otra, de tal manera que todo el calor emitido por una de ellas era absorbido por la otra. Si no se dan estas condiciones, solamente una fracción del calor emitido por una de ellas será interceptado por la otra.

Si imaginamos un *tubo* definido por ambas superficies (Fig. 1.9), la fracción de energía es la que circula por el interior y depende de la distancia entre ambas, de la orientación relativa y del tamaño:

$$Q_{12} = \frac{\sigma}{\pi} (T_1^4 - T_2^4) \int_{S_1} \int_{S_2} \frac{\cos\Phi_1 \cos\Phi_2}{r^2} \, dS_1 \, dS_2$$

que puede escribirse en la forma:

$$Q_{12} = \sigma F_{12} S_1 (T_1^4 - T_2^4)$$

36

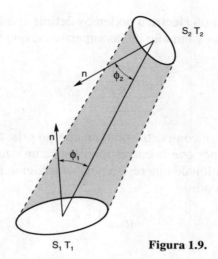

S₂ T₂

S₁ T₁   **Figura 1.9.**

o bien:

$$Q_{12} = \sigma F_{21} S_2 (T_1^4 - T_2^4)$$

F_{12} es el factor de forma de la superficie S_1 respecto de la superficie S_2, y F_{21}, el de la superficie S_2 respecto de la S_1.

Las propiedades del factor de forma son:

a) De las ecuaciones anteriores se desprende que:

$$S_1 F_{12} = S_2 F_{21}$$

con lo cual, si se conoce uno de ellos, puede calcularse el otro.

b) En el caso en que una superficie, S_1 por ejemplo, esté rodeada completamente por la otra, S_2, su factor de forma vale la unidad:

$$F_{12} = 1$$

c) Si una superficie, S_1, está rodeada por un conjunto de superficies, S_2, S_3, ...S_n, la suma de los factores de forma de estas superficies es la unidad:

$$F_{12} + F_{13} + ... + F_{1n} = 1$$

37

Usando la analogía eléctrica podemos definir una resistencia térmica, asociada a la forma y tamaño de las superficies, que viene dada por:

$$R_{12} = \frac{1}{S_1 F_{12}} = \frac{1}{S_2 F_{21}}$$

Si la superficie se comporta como un cuerpo gris, la cantidad de energía emitida es menor que la correspondiente a un cuerpo negro, y puede expresarse en función de una resistencia superficial, que para una superficie i, viene dada por:

$$R_i = \frac{1 - \varepsilon_i}{\varepsilon_i S_i}$$

Cuando tenemos varias superficies, unas en presencia de otras, el calor intercambiado entre ellas puede calcularse resolviendo el circuito eléctrico equivalente, tal como se indica en la figura 1.10.

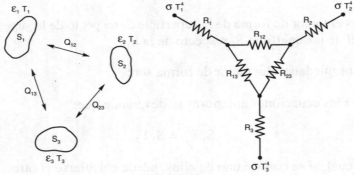

Figura 1.10.

1.3.3. Ejemplo de cálculo

Ejemplo 4

Una tubería de 36 mm de diámetro exterior y 10 m de longitud está en el interior de un recinto cerrado. La temperatura de la tubería es de 70 °C y la de las paredes del recinto de 10 °C.

Calcular el calor radiado si la emisividad de la tubería es 0,80 y la del recinto 0,95.

Solución

El factor de forma, ya que la tubería está totalmente envuelta por el recinto, es $F_{12} = 1$, y su superficie:

$$S_1 = \pi \times 0,036 \times 10 = 1,131 \text{ m}^2$$

La resistencia asociada al factor de forma es:

$$R_{12} = 1 / (1 \times 1,131) = 0,884 \text{ mK/kW}$$

La resistencia superficial de la tubería debida a la emisividad es:

$$R_1 = (1 - 0,80) / (0,80 \times 1,131) = 0,221 \text{ mK/kW}$$

La resistencia superficial del recinto asociada a la emisividad podemos considerarla casi nula (R_2), puesto que la superficie emisora es mucho mayor que la de la tubería y su emisividad está próxima a la unidad. Así la resistencia total es:

$$R = 0,884 + 0,221 = 1,105 \text{ mK/kW}$$

y el calor radiado por unidad de tiempo:

$$Q = \frac{1}{1,105} \times 56,7 \times \left[\left(\frac{443}{1.000} \right)^4 - \left(\frac{283}{1.000} \right)^4 \right]$$

$$51,33 \times (0,0138 - 0,0064) = 0,380 \text{ kW}$$

1.4. Coeficiente global de transmisión de calor [3, 6 y 5]

Cuando se transmite calor entre dos cuerpos, en la mayoría de las situaciones habituales interviene más de un mecanismo de transmisión, y este hecho debe tenerse en cuenta al calcular el coeficiente de transmisión que llamaremos *global*, para diferenciarlo del *individual*, en que solamente participa un mecanismo de transmisión.

1.4.1. Conducción-convección

Cuando dos fluidos a distinta temperatura están separados por una pared, se transmite calor del más caliente al más frío. El calor debe pasar del fluido caliente a la pared, atravesar el espesor de ésta y, finalmente, llegar al fluido frío; o sea, participan los mecanismos de convección y conducción a la vez. Teniendo en cuenta los objetivos de esta obra, nos limitaremos a los casos siguientes: pared plana, pared cilíndrica y pared esférica.

a) Pared plana

En el caso de una pared plana infinita compuesta por capas de distintos materiales (pared heterogénea) con convección a ambos lados de la pared, el circuito eléctrico equivalente (ver figura 1.11) estará formado por las siguientes resistencias en serie:

Resistencia superficial interior (convección):

$$R_{in} = \frac{1}{S_{in} h_{in}}$$

Resistencias de las distintas capas (conducción):

$$R_i = \frac{e}{S_i \lambda_i}$$

40

Resistencia superficial exterior (convección):

$$R_{ex} = \frac{1}{S_{ex} h_{ex}}$$

La resistencia total vendrá dada por la suma de todas ellas:

$$R = \frac{1}{S_{in} h_{in}} + \frac{e}{S_i \lambda_i} + \frac{1}{S_{ex} h_{ex}}$$

Comoquiera que todas las superficies son iguales:

$$R = \frac{1}{S} \left(\frac{1}{h_{in}} + \Sigma \frac{e_i}{\lambda_i} + \frac{1}{h_{ex}} \right)$$

y haciendo:

$$\frac{1}{U} = \frac{1}{h_{in}} + \Sigma \frac{e_i}{\lambda_i} + \frac{1}{h_{ex}}$$

se obtiene, finalmente, el flujo de calor:

$$Q = S \, U \, (t_{in} - t_{ex})$$

b) Pared cilíndrica

En el caso de una pared cilíndrica (véase el apartado 1.1.2), se expresa el flujo de calor en función de la resistencia térmica por unidad de longitud:

$$R_i = \Sigma \frac{\ln \left(\frac{r_{i+1}}{r_i} \right)}{2 \pi \lambda_i}$$

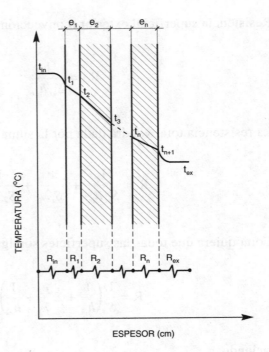

Figura 1.11.

ESPESOR (cm)

En consecuencia, las resistencias térmicas superficiales, debidas a convección, también deberán expresarse en función de la unidad de longitud.

Así, tendremos que, para la superficie interior, el flujo de calor vendrá dado por (Fig. 1.12):

$$Q = 2 \pi r_{in} L h_{in} (t_{in} - t_1)$$

y el flujo de calor por unidad de longitud será:

$$Q/L = 2 \pi r_{in} h_{in} (t_{in} - t_1)$$

Finalmente, la resistencia térmica superficial por unidad de longitud de la superficie interior resultará:

$$R_{in} = \frac{1}{2\pi r_{in} h_{in}}$$

42

y la de la superficie exterior:

$$R_{ex} = \frac{1}{2\pi r_{ex} h_{ex}}$$

(En estas expresiones $r_{in} = r_1$ y $r_{ex} = r_n$.)

Así, la resistencia térmica total por unidad de longitud será:

$$R = \frac{1}{2\pi r_{in} h_{in}} + \frac{1}{2\pi} \sum \frac{\ln\left(\dfrac{r_{i+1}}{r_i}\right)}{\lambda_i} + \frac{1}{2\pi r_{ex} h_{ex}}$$

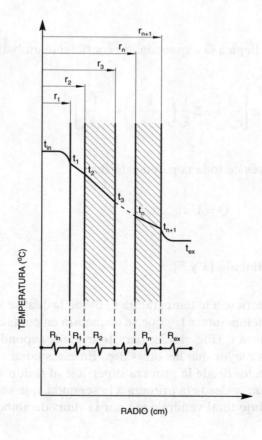

Figura 1.12.

43

el coeficiente global de transmisión de calor referido a la unidad de longitud:

$$U_L = 2 \pi \left[\frac{1}{r_{in}h_{in}} + \Sigma \frac{\ln\left(\dfrac{r_{i+1}}{r_i}\right)}{\lambda_i} + \frac{1}{r_{ex}h_{ex}} \right]^{-1}$$

y, finalmente, el flujo de calor:

$$Q = L \, U_L \, (t_{in} - t_{ex})$$

c) Pared esférica

De forma análoga se llega a la expresión del coeficiente global:

$$U = 4 \pi \left[\frac{1}{r_{in}^2 h_{in}} + \Sigma \frac{1}{\lambda_i} \left(\frac{1}{r_i - r_{i+1}} \right) + \frac{1}{r_{ex}^2 h_{ex}} \right]^{-1}$$

y al flujo de calor a través de toda la pared esférica:

$$Q = U \, (t_{in} - t_{ex})$$

1.4.2. Convección-radiación [1 y 5]

Imaginemos una superficie a la temperatura t_s, desde la cual se ve otra superficie que está a la temperatura t_r y que se encuentra en contacto con un fluido a la temperatura t_a (Fig. 1.13); para fijar ideas supondremos que la temperatura t_s es mayor que las otras dos. En estas condiciones, tendremos un flujo de calor desde la primera superficie al fluido, que se transmite por convección, y desde la primera a la segunda, que se transmite por radiación; el flujo total vendrá dado por la suma de ambos.

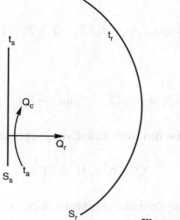

Figura 1.13.

Si suponemos que ambas superficies se comportan como un cuerpo gris (véase apartado 1.3.2), la resistencia térmica será:

$$R = \left(\frac{1-\varepsilon_1}{\varepsilon_1 S_1}\right) + \left(\frac{1}{S_1 F_{12}}\right) + \left(\frac{1-\varepsilon_2}{\varepsilon_2 S_2}\right)$$

que en el caso frecuente de que la primera superficie esté envuelta completamente por la segunda (un cuerpo en el interior de un recinto), el factor de forma F_{sr} será la unidad. Si consideramos que la superficie de este recinto es mucho mayor y que su emisividad es cercana a la unidad, de forma muy aproximada la resistencia térmica asociada a la radiación será:

$$R = \frac{1}{\varepsilon_1 S_1}$$

con lo cual el calor radiado resultará:

$$Q_r = \sigma \varepsilon_1 S_1 (T_1^4 - T_2^4)$$

45

que puede escribirse como:

$$Q_r = \sigma\varepsilon_1 S_1 \, (t_1 - t_2)(T_1 - T_2)(T_1^2 - T_2^2)$$

y haciendo:

$$h_r = \sigma\varepsilon_1 \, (T_1 - T_2)(T_1^2 - T_2^2)$$

se obtiene, para la radiación, una ecuación parecida a la convección:

$$Q_r = h_r \, S_1 \, (t_1 - t_2)$$

Por otro lado, el flujo de calor transmitido por convección es:

$$Q_c = h_c \, S_1 \, (t_1 - t_3)$$

y el flujo de calor total:

$$Q_r = S_1 \, [h_r \, (t_1 - t_2) + h_c \, (t_1 - t_3)]$$

Si, como ocurre algunas veces, la temperatura de las paredes del recinto y el aire ambiente pueden considerarse a la misma temperatura, se llega a la expresión:

$$Q_r = S_s \, (h_r + h_c) \, (t_s - t_a)$$

donde:

$t_s = t_1$ es la temperatura de la superficie emisora.
$t_a = t_2 = t_3$ es la temperatura ambiente.

1.4.3. Ejemplos de cálculo

Ejemplo 5

Por una tubería vertical, de acero, situada en el interior de un local con el aire a 20 °C y en calma, circula agua a 80 °C y a la velocidad de 1,5 m/s.

Con los datos del ejemplo 2, calcular el calor disipado por unidad de longitud para la tubería desnuda y para la tubería aislada.

Solución

En primer lugar, averiguamos las propiedades termodinámicas de agua a la temperatura de 80 °C:

Densidad	= 974	kg / m³
Conductividad	= 0,66	W / m K
Calor específico	= 4,21	KJ / kg K
Viscosidad dinámica	= 355 × 10⁻⁶	kg / m s

A partir de ellas se calculan, para la superficie interior, los números adimensionales:

$$Re = (1,5 \times 0,048 \times 974) / (355 \times 10^{-6}) = 1,975 \times 10^5$$
$$Pr = (4,21 \times 355 \times 10^{-6}) / 0,66 \times 10^{-3} = 2,264$$
$$Nu = 0,023 \times (1,975 \times 10^5)^{0,8} \times (2,264)^{0,3} = 507$$

con lo cual el coeficiente de convección agua-superficie interior resulta:

$$h_{in} = (507 \times 0,66) / 0,048 = 6.966 \ W/m^2 \ K$$

En el caso del tubo desnudo el coeficiente de convección exterior es:

$$h_{ex} = 1,13 \times \left(\frac{t_2 - 20}{0,0255}\right)^{0,25} \ kcal/h \ m^2 \ K =$$

$$= 3,29 \times (t_2 - 20)^{0,25} \ W/m^2 \ K$$

donde:

t_2 es la temperatura de la superficie metálica exterior.

Calculamos las resistencias térmicas:

47

Superficial agua-metal:

$$R_{in} = \frac{1}{2 \times \pi \times 0,024 \times 6.966} = 0,0081 \text{ m K/W}$$

Pared metálica:

$$R_1 = \frac{\ln\left(\dfrac{25,5}{24}\right)}{2 \times \pi \times 58} = 0,0002 \text{ m K/W}$$

Superficial metal-aire:

$$R_{ex} = \frac{1}{2 \times \pi \times 0,0255 \times 3,29 \times (t_2 - 20)^{0,25}}$$

Total:

$$R = 0,0012 + 1,897 \times (t_2 - 20)^{-0,25}$$

A fin de calcular la resistencia superficial exterior y la total debemos conocer la temperatura superficial de la pared metálica, para la que debe cumplirse:

$$\frac{80 - t_2}{0,0012} = \frac{t_2 - 20}{1,897 \times (t_2 - 20)^{-0,25}}$$

Resolviendo la ecuación anterior, obtenemos:

$$t_2 = 79,9 \text{ °C}$$

con lo cual:

$$R_{ex} = 0,682 \text{ m K/W}$$
$$R \phantom{_{ex}} = 0,683 \text{ m K/W}$$
$$U_L \phantom{_{}} = 1,46 \text{ W/m K}$$

y, finalmente, el flujo de calor es:

$$Q = 10 \times 1,46 \times (80 - 20) = 878 \text{ W}$$

En el caso de la superficie aislada, las resistencias térmicas son:

Superficial agua-metal:

$$R_{in} = 0,0001 \text{ m K / W}$$

Pared metálica:

$$R_1 = 0,0002 \text{ m K/W}$$

Capa de aislante:

$$R_2 = 3,094 \text{ m K/W}$$

Superficial aislante-aire:

$$R_{ex} = 1,059 \times (t_3 - 20)^{-0,25} \text{ m K/W}$$

Total:

$$R = 3,095 + 1,059 \times (t_3 - 20)^{-0,25} \text{ m K/W}$$

Y procediendo de igual forma que en el caso anterior, obtenemos la temperatura de la superficie exterior:

$$t_3 = 29,7 \text{ °C}$$

con lo cual:

$$R_{ex} = 0,600 \text{ m k/W}$$
$$R = 3,695 \text{ m K/W}$$
$$U_L = 0,271 \text{ W/m K}$$

y, finalmente, el flujo de calor:

$$Q = 162 \text{ W}$$

Ejemplo 6

Calcular el flujo de calor por unidad de superficie de un suelo radiante situado en el interior de un recinto si la temperatura media del suelo es de 25 °C, la del aire es de 18 °C y coincide con la media de las paredes y el techo.

Supongamos que el aire es totalmente transparente a la radiación y que la emisividad del suelo y demás cerramientos es 0,9.

Solución

Calculamos el coeficiente de convección suelo-aire:

$$h_c = 2,8 \times (25 - 18)^{1/4} = 4,55 \text{ kcal/h m}^2 \text{ K}$$
$$= 5,30 \text{ W/m}^2$$

El pseudocoeficiente de convección debido a la radiación es:

$$h_r = 0,9 \times 56,7 \times 10^{-12} \times (298 + 291) \times (298^2 + 291^2)$$
$$= 5,22 \times 10^{-3} \text{ kW/m}^2 \text{ K}$$
$$= 5,22 \text{ W/m}^2 \text{ K}$$

Nótese que ambos coeficientes, en estas condiciones, tienen valores muy parecidos.

El flujo de calor total, por unidad de superficie, será:

$$Q = (5,30 + 5,22) \times (25 - 18) = 73,6 \text{ W/m}^2$$

Ejemplo 7

La pared de una caravana tiene la siguiente estructura:

– Capa exterior de aluminio de 1,5 mm de espesor, conductividad 204 W/m °C, emisividad 0,9, y se acepta el coeficiente global de convección-radiación 17 W/m² °C.

– Capa de aislante de 40 mm de espesor y conductividad 0,044 W/m °C.

– Capa interior de contrachapado de 5 mm de espesor, conductividad 0,14 W/m °C, y se acepta el coeficiente global de convección-radiación 11 W/m² °C.

La radiación solar es de 600 W/m² e incide sobre la superficie exterior con un ángulo de 30° con la normal. La temperatura del aire exterior es de 30 °C y la del interior de 25 °C.

Calcular la distribución de temperaturas en la pared y el calor que llega al interior.

Solución

La resistencia térmica de la pared es:

$$R = 0{,}945 \text{ m}^2 \text{ K/W}$$

El calor por unidad de superficie que atraviesa las distintas superficies es:

Calor procedente de la radiación solar	$= 600 \times 0{,}3 \times \cos (30)$
	$= 155{,}9 \text{ W/m}^2$
Calor debido a convección con el aire exterior	$= 17 \times (30 - t_1)$
Calor que atraviesa la superficie interior	$= 11 \times (t_4 - 25)$
Calor que atraviesa la pared	$= 1{,}058 \times (t_1 - t_4)$

donde:

t_1 y t_4 son las temperaturas superficiales exterior e interior, respectivamente.

Comoquiera que el calor que atraviesa la superficie exterior debe ser igual al que pasa a través de la pared e igual al que ingresa en el recinto, se cumplirá:

$$155{,}9 + 17 \times (30 - t_1) = 11 \times (t_4 - 25) = 1{,}058 \times (t_1 - t_4)$$

de donde obtenemos los valores de $t_1 = 38{,}4$ °C y $t_4 = 26{,}2$ °C.

Puesto que el aluminio es un excelente conductor y además se trata de una lámina delgada, la temperatura de la superficie aluminio-aislante será $t_2 \approx t_1 = 38,4\ °C$, y la temperatura de la superficie asilante-contrachapado:

$$\frac{38,4 - 26,2}{0,945} = \frac{38,4 - t_3}{0,909}$$

de donde $t_3 = 26,7$.

Finalmente, el calor que atraviesa la pared es:

$$Q = 155,9 + 17 \times (30 - 38,4) = 12,9\ W/m^2$$

1.5. Difusión de vapor de agua a través de una pared [14 y 16]

Cuando una pared separa dos ambientes que están a distinta presión parcial de vapor de agua, se transfiere agua en estado de vapor a través de la pared en el sentido de mayor a menor presión de vapor. Este proceso de transferencia de vapor es semejante al de transferencia de calor por conducción, de tal manera que se cumple la analogía siguiente:

Transferencia de calor	Transferencia de vapor
Calor por unidad de tiempo = Q	Masa de vapor por unidad de tiempo = M
Conductividad térmica = λ	Permeabilidad al vapor de agua = δ
Temperatura = t	Presión parcial de vapor de agua = p
Flujo de calor $\quad Q = S\dfrac{\lambda}{e}(t_2 - t_1)$	Flujo de vapor $\quad M = S\dfrac{\delta}{e}(p_2 - p_1)$
Resistencia térmica $\quad R = \dfrac{e}{S\lambda}$	Resistencia al paso de vapor $\quad R_v = \dfrac{e}{S\delta}$

Siguiendo con esta analogía, si se conoce la presión parcial de vapor a ambos lados de una pared compuesta, podrá calcularse la presión de vapor en un punto cualquiera cuando el régimen sea estacionario. En estos casos, suele considerarse que la resistencia superficial al paso de vapor es nula y la presión parcial de vapor del aire coincide con la de la superficie en contacto.

1.5.1. Definiciones [14]

Permeabilidad

La permeabilidad al vapor de agua se define, en el sistema internacional (ISO 9346), como los kilogramos de vapor que pasan, cada segundo, a través de una pared plana homogénea de un metro cuadrado de superficie y un metro de espesor, cuando la diferencia de presión de vapor a ambos lados de la misma es de un Pascal. Las unidades en el sistema SI serán kg/m s Pa.

Si se utilizara estrictamente esta definición para expresar la permeabilidad de los materiales habituales en construcción e instalaciones, conduciría al empleo de valores extraordinariamente pequeños. Esto hace que en la práctica se empleen unidades distintas, por ejemplo g cm/mmHg m^2 día.

Usando adecuadamente factores de conversión, es fácil pasar de unas unidades a otras. Así, por ejemplo, si en una tabla encontramos la permeabilidad en las unidades prácticas anteriores y deseamos calcular su valor en el sistema SI tendremos:

$$n \, \frac{g \times cm}{mmHg \times m^2 \times día} \times \left(\frac{1 \, kg}{100 \, g} \times \frac{1 \, m}{100 \, cm} \times \right.$$

$$\left. \times \frac{0,0075006 \, mHg}{1 \, Pa} \times \frac{1 \, día}{24 \times 60 \times 60s} \right) =$$

$$= n \times 0,86813 \times 10^{-12} \frac{kg}{m \times s \times Pa}$$

El factor de conversión es $0,86813 \times 10^{-12}$.

En la tabla 1.5, se muestran algunos factores de conversión.

Tabla 1.5. Unidades y factores de conversión de permeabilidad.

	$\dfrac{kg}{m \cdot s \cdot Pa}$	$\dfrac{g \cdot cm}{MN \cdot s}$	$\dfrac{g}{m \cdot h \cdot mmHg}$	$\dfrac{g \cdot cm}{m^2 \cdot día \cdot mmHg}$
$\dfrac{kg}{m \cdot s \cdot Pa}$	1	1×10^6	480×10^6	$1,152 \times 10^{12}$
$\dfrac{g \cdot cm}{MN \cdot s}$	1×10^{-6}	1	480	$1,152 \times 10^6$
$\dfrac{g}{m \cdot h \cdot mmHg}$	$2,0835 \times 10^{-9}$	$2,0835 \times 10^{-3}$	1	2.400
$\dfrac{g \cdot cm}{m^2 \cdot día \cdot mm \, Hg}$	$0,86813 \times 10^{-12}$	$0,86813 \times 10^{-6}$	$0,4167 \times 10^{-3}$	1

Permeancia

La permeancia se define como la cantidad de vapor, por unidad de tiempo, que pasa a través de una muestra de un espesor dado y superficie unidad, cuando entre sus caras hay una diferencia de presión unidad.

Según esta definición, la relación entre la permeancia y la permeabilidad es:

$$w = \frac{\delta}{e}$$

donde:

e es el espesor de la muestra.

La permeancia de un material va ligada a piezas ya preformadas y coincide con la permeabilidad cuando su espesor es la unidad.

Según lo establecido por la NBE-CT-79, pueden considerarse barreras de vapor aquellos materiales laminares cuya permeancia sea inferior a 0,1 g/MN s, o sea, 1,15 g/mmHg m^2 día.

54

1.5.2. Presión de vapor en una pared heterogénea plana [14]

Cuando se estudió la transmisión de calor en una pared heterogénea plana (véase el apartado 1.1.1), se vio que el incremento de temperatura en cada capa de la pared se podía escribir en función del salto térmico total y de las resistencias térmicas respectivas:

$$\left(\frac{\Delta t}{R}\right)_{tot} = \left(\frac{\Delta t}{R}\right)_i$$

en la que el subíndice i hace referencia a la capa considerada y el subíndice tot a la pared total incluidas las resistencias superficiales.

De forma análoga, puede escribirse la expresión correspondiente a los incrementos de presión de vapor:

$$\left(\frac{\Delta p}{R_v}\right)_{tot} = \left(\frac{\Delta p}{R_v}\right)_i$$

donde:

Δp es el incremento de presión de vapor.
R_v es la resistencia al paso de vapor.

Si se representa la variación de la presión de vapor en función de la resistencia al paso de vapor (Fig. 1.14), se obtiene una línea recta entre la presión parcial de vapor del aire a un lado de la pared y la del otro lado de la pared, puesto que las resistencias superficiales se consideran nulas.

Esta representación permite calcular con suma facilidad las presiones intermedias y, si se desea mayor precisión, puede calcularse aplicando las expresiones anteriores.

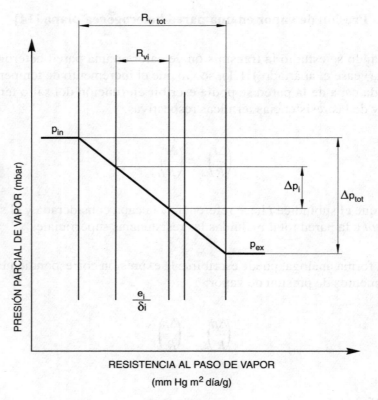

Figura 1.14.

1.5.3. Ejemplo de cálculo

Ejemplo 8

Una pared está compuesta, del interior hacia el exterior, por un enlucido de yeso de 2 cm, una capa de ladrillo perforado de 20 cm y un enfoscado de 2 cm. El aire interior está a 25 °C y 60 % de humedad, y el exterior a 5 °C y 80 % de humedad. (Para las resistividades de estos materiales, consúltese la tabla 1.6.)

Calcular la presión de vapor en el interior de la pared y trazar la gráfica de la misma frente a la resistencia al paso de vapor.

Tabla 1.6. Resistividad al vapor de agua. Fuente NBE-CT-79 BOE.

Material	Resistividad al vapor r_v[1]	
	MN s/g m	mmHg m² día/g cm
Aire en reposo (cámaras)	5,5	0,004
Aire en movimiento (cámaras ventiladas)	0	0
Fábrica de ladrillo macizo	55	0,048
Fábrica de ladrillo perforado	36	0,031
Fábrica de ladrillo hueco	30	0,026
Fábrica de piedra natural	150-450	0,13-0,39
Enfoscados y revocos	100	0,087
Enlucidos de yeso	60	0,052
Placas de amianto-cemento	1,6-3,5	0,001-0,003
Hormigón con áridos normales o ligeros	30-100	0,026-0,086
Hormigón aireado con espumantes	20	0,017
Hormigón celular curado al vapor	77	0,06
Madera	45-75	0,039-0,065
Tablero aglomerado de partículas	15-60	0,013-0,052
Contrachapado de madera	1.500-6.000	1,30-5,20
Hormigón con fibra de madera	15-40	0,013-0,035
Cartón-yeso, en placas	45-60	0,039-0,052
Aislantes térmicos		
Aglomerado de corcho UNE 56.904	92	0,08
Espuma elastomérica	48.000	41,6
Fibra de vidrio[2]	9	0,007
Lana mineral: Tipos I y II	9,6	0,008
Tipos III, IV y V	10,5	0,009
Perlita expandida	0	0
Poliestireno expandido UNE 53.310:		
Tipo I	138	0,12
Tipo II	161	0,14
Tipo III	173	0,15
Tipo IV	207	0,18
Tipo V	253	0,22
Poliestireno extrusionado	523-1047	0,45-0,90
Polietileno reticulado	9.600	8,33
Poliisocianurato, espuma de	77	0,06
Poliuretano aplicado *in situ*, espuma de:		
Tipo I	96	0,083
Tipo II	127	0,111
Tipo III	161	0,142
Tipo IV	184	0,166
Poliuretano aplicado *in situ*, espuma de:		
Tipo I	76	0,066
Tipo II	82	0,071
Urea formaldehido, espuma de	20-30	0,017-0,026

1. Es el inverso de la permeabilidad al vapor d_v.
2. Cualquier tipo sin incluir protecciones adicionales que pudieran constituir barrera de vapor.

57

Tabla 1.7. Resistencia al vapor de agua. Fuente NBE-CT-79 BOE.

	Resistencia al vapor[2]	
Materiales en forma de lámina[1]	**MN s/g m**	**mmHg m² día/g cm**
Hoja de aluminio de 8 micras	4.000	347
Lámina de polietileno de 0,05 mm	103	9
Lámina de polietileno de 0,10 mm	230	20
Lámina de poliéster de 25 micras	24	2,08
Papel Kraft con oxiasfalto	9,7	0,84
Papel Kraft	0,43	0,037
Pintura al esmalte	7,5-40	0,65-3,48
Papel vinílico de revestimiento	5-10	0,43-0,86

1. Pueden considerarse como barreras de vapor aquellos materiales laminares cuya resistencia al vapor está comprendida entre 10 y 230 MN s/g (0,86 y 20 mmHg m² día/g).
2. Es el inverso de la permeancia al vapor.

Solución

En la tabla 1.8 leemos la presión de saturación para el vapor a 25 °C, que resulta ser de 31,68 mbar. En consecuencia la presión parcial de vapor en el aire interior será:

$$p_{in} = 31,68 \times 0,60 = 19,01 \text{ mbar}$$

análogamente para el aire exterior:

$$p_{ex} = 8,72 \times 0,80 = 6,98 \text{ mbar}$$

y la diferencia entre ambos lados de la pared:

$$\Delta p = 19,01 - 6,98 = 12,03 \text{ mbar}$$

Resistencias al paso de vapor:

Enlucido: $\quad\quad\quad\quad R_{v1} = 0,087 \times 2 = 0,174$ mm Hg m² día/g

Ladrillo perforado: $\quad R_{v2} = 0,031 \times 20 = 0,620$ mm Hg m² día/g

Enfoscado : $\quad\quad\quad R_{v3} = 0,052 \times 1,5 = 0,078$ mm Hg m² día/g

Tabla 1.8. Presión de saturación para el vapor de agua. Fuente NBE-CT-79 BOE.*

Temperatura										
°C	.0	.1	.2	.3	.4	.5	.6	.7	.8	.9
+25	31,68	31,86	32,05	32,24	32,44	32,62	32,82	33,01	33,21	33,41
+24	29,84	30,01	30,20	30,38	30,56	30,74	30,93	31,12	31,30	31,49
+23	28,09	28,26	28,42	28,60	28,77	28,94	29,13	29,30	29,84	29,65
+22	26,57	26,60	26,76	26,92	27,09	27,25	27,42	27,58	27,76	27,92
+21	24,86	25,02	25,17	25,33	25,48	25,64	25,80	25,96	26,12	26,28
+20	23,38	23,52	23,66	23,81	23,96	24,10	24,26	24,41	24,56	24,72
+19	21,97	22,10	22,24	22,38	22,52	22,66	22,80	22,94	23,09	23,24
+18	20,64	20,76	20,89	21,02	21,16	21,29	21,42	21,56	21,69	21,82
+17	19,37	19,49	19,61	19,74	19,86	20,00	20,13	20,25	20,37	20,50
+16	18,17	18,29	18,41	18,53	18,65	18,77	18,89	19,01	19,13	19,25
+15	17,05	17,16	17,27	17,39	17,49	17,60	17,72	17,83	17,95	18,07
+14	15,99	16,08	16,19	16,29	16,40	16,51	16,61	16,72	16,83	16,95
+13	14,97	15,07	15,17	15,27	15,37	15,47	15,57	15,68	15,77	15,88
+12	14,03	14,12	14,21	14,31	14,40	14,49	14,59	14,68	14,77	14,88
+11	13,12	13,21	13,31	13,39	13,48	13,57	13,65	13,75	13,84	13,93
+10	12,28	12,46	12,44	12,52	12,61	12,69	12,77	12,87	12,95	13,04
+9	11,48	11,56	11,64	11,72	11,79	11,87	11,95	12,03	12,12	12,20
+8	10,72	10,80	10,87	10,95	11,03	11,09	11,17	11,25	11,32	11,40
+7	10,01	10,08	10,16	10,23	10,29	10,36	10,44	10,51	10,59	10,65
+6	9,35	9,41	9,48	9,55	9,61	9,68	9,75	9,81	9,88	9,95
+5	8,72	8,79	8,84	8,91	8,97	9,03	9,02	9,16	9,23	9,28
+4	8,13	8,19	8,25	8,31	8,36	8,43	8,48	8,55	8,60	8,67
+3	7,57	7,63	7,68	7,75	7,80	7,85	7,91	7,96	8,01	8,08
+2	7,05	7,11	7,16	7,21	7,27	7,32	7,36	7,41	7,47	7,52
+1	6,57	6,61	6,67	6,71	6,76	6,81	6,85	6,81	6,96	7,01
+0	6,11	6,15	6,20	6,24	6,28	6,33	6,37	6,43	6,4	6,52
–0	6,11	6,05	6,00	5,96	5,91	5,87	5,81	5,76	5,72	5,67
–1	5,63	5,57	5,53	5,48	5,44	5,39	5,35	5,31	5,25	5,21
–2	5,17	5,13	5,08	5,04	5,00	4,96	4,92	4,88	4,84	4,80
–3	4,76	4,72	4,68	4,64	4,60	4,56	4,52	4,48	4,44	4,40
–4	4,37	4,33	4,29	4,25	4,23	4,19	4,15	4,12	4,08	4,04
–5	4,01	3,97	3,95	3,91	3,88	3,84	3,81	3,77	3,75	3,71
–6	3,68	3,65	3,61	3,59	3,56	3,52	3,49	3,47	3,44	3,40
–7	3,37	3,35	3,32	3,29	3,27	3,23	3,20	3,17	3,15	3,12
–8	3,09	3,07	3,04	3,01	2,99	2,96	2,93	2,91	2,88	2,85
–9	2,83	2,81	2,79	2,76	2,73	2,71	2,69	2,67	2,64	2,61
–10	2,60	2,57	2,55	2,52	2,51	2,48	2,45	2,44	2,41	2,40

* Presión de saturación p_s en mbar del vapor de agua a temperaturas secas entre +25 °C y –10 °C.

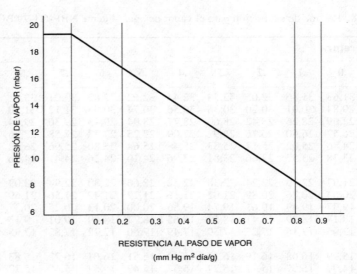

Figura 1.15.

Total pared: $R_v = 0,174 + 0,620 + 0,078 = 0,872$ mm Hg m^2 día/g

Incrementos de presión de vapor:

Enlucido: $\Delta p_1 = 0,174 \times (12,03 / 0,872) = 2,40$ mbar

Ladrillo perforado: $\Delta p_2 = 0,620 \times (12,03 / 0,872) = 8,55$ mbar

Enfoscado: $\Delta p_3 = 0,078 \times (12,03 / 0,872) = 1,08$ mbar

Con lo cual podemos calcular ya la presión en cada una de las superficies:

Aire interior – enlucido: 19,01 mbar

Enlucido – ladrillo perforado: 19,01 – 2,40 = 16,61 mbar

Ladrillo perforado – enfoscado: 16,61 – 8,55 = 8,06 mbar

Enfoscado – aire exterior: 8,06 – 1,08 = 6,98 mbar

60

2
APLICACIONES

Los materiales más comunes utilizados como aislantes son los siguientes:

- Sustancias minerales en fibra o en forma celular: amianto, vidrio, cristal de roca, alúmina, perlita, sílice, vermiculita y escorias.
- Sustancias orgánicas en fibra o en forma celular: algodón, madera, corcho y caña.
- Plásticos en forma celular: poliestireno, polivinilo, poliuranato, poliisocianato, poliisocianurato y elastómeros.
- Mortero de cementos con aislantes minerales.
- Metales pulidos para aislamiento radiativo: aluminio, níquel y acero inoxidable.

2.1. Elección del aislante térmico [5, 6, 7, 15 y 16]

2.1.1. Características de los aislantes

El técnico debe conocer las propiedades de los aislantes térmicos disponibles, a fin de que pueda elegir aquel que mejor se adapte a las necesidades concretas y los fabricantes deben incluir en los catálogos estas propiedades, certificadas por ensayos homologados, para que se puedan comparar los distintos productos existentes en el mercado y efectuar los cálculos correspondientes.

Los valores de las propiedades higrotérmicas se expresarán preferentemente en unidades del Sistema Internacional (SI) y mejor si van acompañados de los mismos en unidades prácticas tradicionales. Es bueno que además se especifique la norma utilizada para efectuar los ensayos y el organismo o laboratorio que certifica los resultados de los mismos.

Conductividad térmica

Normalmente, se expresa en W/m K, o bien kcal/h m K.

Como que la conductividad varía con la temperatura, deberá indicarse la temperatura para la cual es válido el valor dado, y mejor si se suministra una tabla y/o gráfica que relacione la conductividad con la temperatura. Debido a que esta propiedad depende del grado de humedad del material, se entiende que los datos suministrados se refieren a la muestra seca.

Para materiales suministrados en formas comerciales definidas, tales como mantas, placas, coquillas, etc., además de la conductividad podrá indicarse la resistencia térmica del material especificando en qué condiciones de instalación es válida.

Permeabilidad al vapor de agua

Normalmente, se expresa en g m/MN s, o bien en g cm/m² mmHg día.

Si el formato comercial que se suministra no es homogéneo, por ejemplo si lleva incorporadas barreras de vapor, podrá indicarse la permeancia del conjunto explicando de una manera clara la forma de instalación.

Debe entenderse que este valor no incluye el efecto de posibles juntas, huecos o discontinuidades.

Densidad aparente

Normalmente, se expresa en kg/m³, o bien en g/cm³.

Se entiende la densidad aparente como la masa de la unidad de volumen de aislante en las condiciones de suministro o de instalación del material seco.

En algunas formas comerciales también se puede indicar la masa por unidad de superficie (densidad superficial), es el caso de placas o mantas, o por unidad de longitud (densidad lineal), si se trata de coquillas.

Capacidad calorífica

Normalmente, se expresa en kJ/kg K, o bien en kcal/kg K.

Este dato carece de interés en el estudio de problemas de transmisión de calor en régimen estacionario, pero es imprescindible en el caso de regímenes transitorios, como es el caso del análisis del riesgo de congelación en tuberías y depósitos, o el del comportamiento de cerramientos a lo largo del día.

Absorción de agua

Algunas propiedades, tales como la conductividad térmica, la capacidad calorífica y la densidad aparente, dependen del grado de humedad del material; en consecuencia, es útil conocer la absorción de agua por unidad de volumen del material.

Esta propiedad se define como la cantidad de agua que absorbe una probeta del material ensayado al sumergirse en agua durante un tiempo determinado y a una temperatura específica.

Puede indicarse en masa de agua por masa o volumen de material aislante, y expresarse en valor absoluto, en tanto por ciento o tanto por uno.

Propiedades mecánicas

Teniendo en cuenta su instalación y condiciones de trabajo, interesa conocer algunas de las propiedades mecánicas, tales como la resistencia a la compresión, la resistencia a la flexión, el módulo de elasticidad y el coeficiente de dilatación térmica.

Intervalo de temperaturas de trabajo

A ciertas temperaturas, los materiales aislantes pueden degradarse, destruirse o perder propiedades mecánicas. En consecuencia debe conocerse el intervalo de temperaturas aceptable que asegura el buen comportamiento del material en cuanto a aislamiento térmico, estabilidad de su instalación, comportamiento mecánico y envejecimiento.

El intervalo de temperatura de trabajo varía notablemente de un aislante a otro. Así, por ejemplo, la fibra de vidrio se sitúa entre los 0 y los 450 °C aproximadamente; el vidrio celular presenta un intervalo mucho mayor, entre –250 y 650 °C, mientras que el poliestireno tiene un intervalo más estrecho, entre –50 y 50 °C.

Para temperaturas por debajo de los 0 °C, suele utilizarse vidrio celular, espuma de poliestireno y espuma de poliuretano. Dado que estos materiales son porosos y debido a la temperatura de trabajo, es necesario instalar barreras de baja permeabilidad al vapor a fin de retardar la penetración de vapor de agua.

Para temperaturas por encima de los 0 °C, se utilizan materiales fibrosos o celulares. Estos últimos, preferentemente, para temperaturas inferiores a 100 °C.

Comportamiento químico

La composición de algunos aislantes contiene compuestos químicos o sustancias que pueden liberarse con el paso del tiempo y atacar la superficie de tuberías metálicas, como podrían ser los aceros austeníticos, por ejemplo. Por ello, deberá conocerse previamente su comportamiento frente a la corrosión.

Estabilidad

También es preciso conocer el comportamiento frente al fuego, la combustibilidad, la emisión de productos tóxicos, los agentes químicos, los parásitos y los microorganismos.

Riesgo potencial para la salud humana

Algunos materiales pueden presentar riesgos potenciales para la salud humana debido a la emisión de gases o polvo nocivos, que suelen generarse por envejecimiento, degradación o combustión accidental.

Datos de interés económico

Dentro de este grupo pueden incluirse una serie de datos, cuyo interés es de carácter más bien económico, tales como el tiempo de vida del material e instalación, el coste unitario, la facilidad y el coste de instalación, la presentación, las facilidades de suministro y reposición, etc.

2.1.2. Elección del aislante [13]

En la elección del aislante deberán tenerse en cuenta los criterios que se citan a continuación.

Exigencia sanitaria y de salud

Deberá consultarse la normativa y reglamentación internacional, nacional y local, a fin de identificar aquellos aislantes que no son admisibles para la aplicación concreta que se desea, tales como amianto, lana de vidrio, etc.

También deberá tenerse en cuenta que la superficie exterior, si pueden darse contactos involuntarios o accidentales, ha de estar a una temperatura tal que no presente peligro para la salud e integridad humana.

Exigencias de seguridad

Deberán tenerse en cuenta las disposiciones legales en lo que se refiere a condiciones de seguridad en la protección contra incendios, atmósferas peligrosas o agresivas, recintos de alta seguridad, etc.

Condiciones de trabajo

Deberán escogerse el material y la protección más idóneos teniendo en cuenta la temperatura de trabajo, la ubicación del aislante al aire libre o bajo recinto cubierto, la accesibilidad, la posibilidad de sufrir impactos o roces accidentales, etc.

Facilidades de suministro y repuestos

Conviene tener la seguridad razonable, puesto que la seguridad absoluta no existe, de disponer de suministros y repuestos a lo largo de la vida de la instalación. Éste puede ser un factor determinante en la elección del aislante, puesto que ninguna instalación está exenta de riesgo de averías o accidentes.

Instalación y mantenimiento

La facilidad de instalación del material aislante cuando se suministra en piezas preformadas, manejables y fácilmente adaptables ahorra horas de mano de obra cualificada y minimiza el riesgo de instalación defectuosa, lo cual hace que el coste real de la instalación se reduzca.

En principio, serán más aconsejables aquellos aislantes que, una vez instalados, requieran un mantenimiento casi nulo y que puedan retirarse y reponerse con facilidad en caso de producirse averías.

Coste y vida de la instalación

El coste de la instalación, teniendo en cuenta el material y mano de obra empleados, junto con la vida de la instalación, son datos imprescindibles para calcular la rentabilidad de la inversión efectuada en el aislamiento térmico.

2.1.3. Criterios de elección del espesor

Una vez elegido el tipo de aislante y conocidas sus propiedades higrotérmicas, debe procederse a la elección del espesor del material que se ha de instalar.

Para determinar el espesor del aislante se tendrán en cuenta criterios de base técnica, tales como exigencias de ahorro energético, evitar la posibilidad de formación de condensados, etc., y/o criterios de base económica, por ejemplo, retorno de capital y rentabilidad de la inversión.

Ciertos criterios de base técnica son de obligado cumplimiento puesto que vienen fijados por la legislación vigente y conducen a espesores mínimos que deben respetarse, sea cual sea el espesor económicamente aconsejable.

Criterios de base técnica

En la legislación española algunos criterios de base técnica, en lo que se refiere a la construcción, se recogen en la Norma Básica de la Edificación NBE-CT-79. Los que hacen referencia a las instalaciones de calefacción, climatización y agua caliente sanitaria se encuentran en el Reglamento de Instalaciones IT.IC.19.

Además de lo establecido por la legislación también deben contemplarse otros criterios, como la limitación de la caída de temperatura en las tuberías para asegurar que el fluido calorportante llegue a los equipos en las condiciones requeridas, lo cual puede obligar a un dimensionado más generoso del espesor del aislante.

Espesor económicamente óptimo [8]

El cálculo del espesor óptimo según criterios económicos se basa en admitir que el coste total viene dado por distintos componentes y que pueden expresarse en función del espesor del aislante.

En el caso más general, se pueden presentar los tipos de coste representados en la figura 2.1:

Curva A: costes decrecientes con el espesor, como es el caso del coste en calor disipado al exterior.
Curva B: costes independientes del espesor, costes fijos.
Curva C: costes crecientes con el espesor, como los debidos a la cantidad de aislante, la cubierta protectora, la pintura, las colas y los tratamientos, etc.

En cada caso, en función del análisis realizado, pueden haber más de una curva de cada tipo. Siempre que tengamos, como mínimo, una curva del tipo A y otra del tipo C, existirá un mínimo para el coste total (curva D), al cual le corresponderá el espesor óptimo.

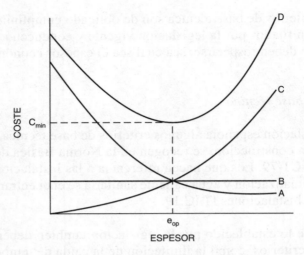

Figura 2.1.

Afortunadamente, en la mayoría de los casos habituales, la curva correspondiente al coste total presenta un mínimo aplanado, lo cual facilita la elección del espesor económico, puesto que, dentro de un campo relativamente amplio, las diferencias de coste no son muy acusadas.

2.2. Aislamiento en la construcción

2.2.1. Cerramientos opacos [2, 4 y 14]

De acuerdo con la NBE-CT-79, los cerramientos se pueden clasificar en verticales y horizontales. Los cerramientos inclinados con una pendiente menor o igual a 60°, medidos a partir de la horizontal, se consideran horizontales, y el resto, verticales.

Los cerramientos opacos constituyen un caso claro de transmisión de calor en la que intervienen simultáneamente los mecanismos de conducción, convección y radiación (véanse los apartados 1.4.1 y 1.4.2). En consecuencia, el coeficiente global de transmisión vendrá dado por:

70

$$\frac{1}{U} = \frac{1}{h_{\text{in}}} + \frac{1}{h_{\text{ex}}} + \Sigma \frac{e_i}{\lambda_i}$$

El sumatorio corresponde a la conducción a través de la pared y su valor sólo depende de la composición, pero es independiente de la inclinación, excepto si hay cámara de aire; en cambio, los coeficientes superficiales de convección sí que dependen de ella.

La norma NBE-CT-79 aconseja utilizar unos valores (véase la tabla 2.1) que tienen en cuenta la pendiente del cerramiento (horizontal o inclinado), su posición (separación con un local cerrado o con el exterior) y la dirección del flujo de calor en los cerramientos horizontales (hacia arriba o hacia abajo). Los valores que figuran en la tabla 2.1 corresponden al coeficiente global de convección-radiación.

Tabla 2.1. Convección.*

Posición del cerramiento y sentido del flujo de calor	Situación del cerramiento					
	De separación con espacio exterior o local abierto			De separación con otro local, desván o cámara de aire		
	$1/h_i$	$1/h_e$	$1/h_i + 1/h_e$	$1/h_i$	$1/h_e$	$1/h_i + 1/h_e$
Cerramientos verticales o con pendiente sobre la horizontal > 60° y flujo horizontal	0,13 (0,11)	0,07 (0,06)	0,20 (0,17)	0,13 (0,11)	0,13 (0,11)	0,26 (0,22)
Cerramientos horizontales o con pendiente sobre la horizontal ≤ 60° y flujo ascendente	0,11 (0,09)	0,06 (0,05)	0,17 (0,14)	0,11 (0,09)	0,11 (0,09)	0,22 (0,18)
Cerramientos horizontales y flujo descendente	0,20 (0,17)	0,06 (0,05)	0,26 (0,22)	0,20 (0,17)	0,20 (0,17)	0,40 (0,34)

* Resistencias térmicas superficiales en m² h °C/kcal (m² °C/W).

Tabla 2.2. Conductividad.

Material	Densidad aparente kg/m³	Conductividad térmica λ kcal/hm °C	(W/m °C)
ROCAS Y SUELOS NATURALES			
Rocas y terrenos			
– Rocas compactas	2.500-3.000	3,00	(3,50)
– Rocas porosas	1.700-2.500	2,00	(2,33)
– Arena con humedad natural	1.700	1,20	(1,40)
– Suelo coherente humedad natural	1.800	1,80	(2,10)
Arcilla			
Materiales suelos de relleno desecados al aire, en forjados, etc.			
– Arena	1.500	0,50	(0,58)
– Grava rodada o de machaqueo	1.700	0,70	(0,81)
– Escoria de carbón	1.200	0,16	(0,19)
– Cascote de ladrillo	1.300	0,35	(0,41)
PASTAS, MORTEROS Y HORMIGONES			
Revestimientos continuos			
– Morteros de cal y bastardos	1.600	0,75	(0,87)
– Mortero de cemento	2.000	1,20	(1,40)
– Enlucido de yeso	800	0,26	(0,30)
– Enlucido de yeso con perlita	570	0,16	(0,18)
Hormigones normales y ligeros			
– Hormigón armado (normal)	2.400	1,40	(1,63)
– Hormigón con áridos ligeros	600	0,15	(0,17)
Hormigón con áridos ligeros	1.000	0,28	(0,33)
Hormigón con áridos ligeros	1.400	0,47	(0,55)
– Hormigón celular con áridos silíceos	600	0,29	(0,34)
Hormigón celular con áridos silíceos	1.000	0,58	(0,67)
Hormigón celular con áridos silíceos	1.400	0,94	(1,09)
Hormigón celular sin áridos	305	0,08	(0,09)
– Hormigón en masa con grava normal:			
• con áridos ligeros	1.600	0,63	(0,73)
• con áridos ordinarios, sin vibrar	2.000	1,00	(1,16)
• con áridos ordinarios, vibrado	2.400	1,40	(1,63)
– Hormigón en masa con arcilla expandida	500	0,10	(0,12)
Hormigón en masa con arcilla expandida	1.500	0,47	(0,55)
Fábrica de bloques de hormigón incluidas juntas[1]			
– Con ladrillos silicocalcáreos macizo	1.600	0,68	(0,79)
– Con ladrillos silicocalcáreos perforado	2.500	0,48	(0,56)
– Con bloques huecos de hormigón	1.000	0,38	(0,44)
Con bloques huecos de hormigón	1.200	0,42	(0,49)
Con bloques huecos de hormigón	1.400	0,48	(0,56)

Tabla 2.2. (Continuación)

Material	Densidad aparente kg/m³	Conductividad térmica λ kcal/hm °C	(W/m °C)
– Con bloques hormigón celular curado vapor	600	0,30	(0,35)
Con bloques hormigón celular curado vapor	800	0,35	(0,41)
Con bloques hormigón celular curado vapor	1.000	0,40	(0,47)
– Con bloques hormigón celular curado aire	800	0,38	(0,44)
Con bloques hormigón celular curado aire	1.000	0,48	(0,56)
Con bloques hormigón celular curado aire	1.200	0,60	(0,70)
Placas o paredes			
– Cartón-yeso	900	0,16	(0,18)
– Hormigón con fibra de madera	450	0,07	(0,08)
– Placas de escayola	800	0,26	(0,30)
LADRILLOS Y PLAQUETAS			
– Fábrica de ladrillo macizo	1.800	0,75	(0,87)
Fábrica de ladrillo perforado	1.600	0,65	(0,76)
Fábrica de ladrillo hueco	1.200	0,42	(0,49)
– Plaquetas	2.000	0,90	(1,05)
VIDRIO			
– Vidrio plano para acristalar	2.500	0,82	(0,95)
METALES			
– Fundición y acero	7.850	50	(58)
– Cobre	8.900	330	(384)
– Bronce	8.500	55	(64)
– Aluminio	2.700	175	(204)
MADERA			
– Maderas frondosas	800	0,18	(0,21)
– Maderas de coníferas	600	0,12	(0,14)
– Contrachapado	600	0,12	(0,14)
– Tablero aglomerado de partículas	650	0,07	(0,08)
PLÁSTICOS Y REVESTIMIENTOS DE SUELOS			
– Linóleo	1.200	0,16	(0,19)
– Moquetas, alfombras	1.000	0,04	(0,05)

Tabla 2.2. (Continuación)

Material	Densidad aparente kg/m³	Conductividad térmica λ kcal/hm °C	(W/m °C)
MATERIALES BITUMINOSOS			
– Asfalto	2.100	0,60	(0,70)
– Betún	1.050	0,15	(0,17)
– Láminas bituminosas	1.100	0,16	(0,19)
MATERIALES AISLANTES TÉRMICOS			
– Arcilla expandida	300	0,073	(0,085)
Arcilla expandida	450	0,098	(0,114)
– Aglomerado de corcho UNE 5.690	110	0,034	(0,039)
– Espuma elastomérica	60	0,029	(0,034)
– Fibra de vidrio:			
• Tipo I	10-18	0,038	(0,044)
• Tipo II	19-30	0,032	(0,037)
• Tipo III	31-45	0,029	(0,034)
• Tipo IV	46-65	0,028	(0,033)
• Tipo V	66-90	0,028	(0,033)
• Tipo VI	91	0,031	(0,036)
– Lana mineral:			
• Tipo I	30-50	0,036	(0,042)
• Tipo II	51-70	0,034	(0,040)
• Tipo III	71-90	0,033	(0,038)
• Tipo IV	91-120	0,033	(0,038)
• Tipo V	121-150	0,033	(0,038)
– Perlita expandida	130	0,040	(0,047)
– Poliestireno expandido UNE 53.310:			
• Tipo I	10	0,049	(0,057)
• Tipo II	12	0,038	(0,044)
• Tipo III	15	0,032	(0,037)
• Tipo IV	20	0,029	(0,034)
• Tipo V	25	0,028	(0,033)
– Poliestireno extrusionado	33	0,028	(0,033)
– Polietileno reticulado	30	0,033	(0,038)
– Polisocianurato, espuma de	35	0,022	(0,026)
– Poliuretano conformado, espuma de			
• Tipo I	32	0,020	(0,023)
• Tipo II	35	0,020	(0,023)
• Tipo III	40	0,020	(0,023)
• Tipo IV	80	0,034	(0,040)
– Poliuretano aplicado *in situ*, espuma de			
• Tipo I	35	0,020	(0,023)
• Tipo II	40	0,020	(0,023)
– Urea formol, espuma de	10-12	0,029	(0,034)
– Urea formol, espuma de	12-14	0,030	(0,035)
– Vermiculita expandida	120	0,030	(0,035)
– Vidrio celular	160	0,038	(0,044)

1. Las densidades se refieren al bloque, no a la fábrica.

74

Para un cerramiento opaco determinado, podemos escribir el coeficiente global en la forma:

$$\frac{1}{U} = \frac{1}{U_0} + \frac{e_a}{\lambda_a}$$

donde:

U es el coeficiente global de transmisión con aislamiento térmico.
U_0 es el coeficiente global de transmisión sin aislamiento térmico.
e_a es el espesor de aislante térmico.
λ_a es la conductividad del aislante térmico.

Así, el flujo de calor por unidad de superficie vendrá dado por:

$$\frac{Q}{S} = U\ (t_{in} - t_{ex}) = \frac{U_0 \lambda_a}{\lambda_a + U_0 e_a}\ (t_{in} - t_{ex})$$

cuya representación gráfica frente al espesor de aislante será una hipérbola (Fig. 2.2) y su corte con el eje vertical representará el flujo térmico del cerramiento sin aislante.

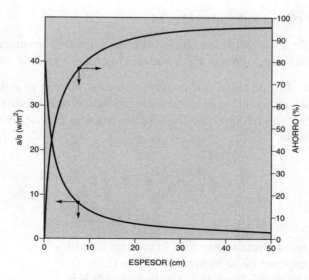

Figura 2.2.

75

El ahorro térmico, en tanto por uno, que proporciona la pared aislada frente a la no aislada puede definirse como:

$$A = \frac{Q_0 - Q}{Q}$$

donde:

Q_0 es el calor transmitido a través de la pared sin aislante.
Q es el calor transmitido a través de la pared con aislante.

Y tras sencillas operaciones resulta:

$$A = \frac{U_0 e_a}{\lambda_a + U_0 e_a}$$

cuya representación gráfica será una curva creciente con el espesor (Fig. 2.2). Para valores pequeños de espesor, el crecimiento es muy rápido y va atenuándose a medida que aumenta aquél. Este comportamiento hace que el incremento del espesor del aislante, que siempre conduce a un ahorro energético, no vaya acompañado necesariamente de ahorro económico, como se verá mas adelante.

2.2.2. Superficies vidriadas [1 y 14]

A través de las superficies vidriadas transparentes, se intercambia calor por conducción, convección y radiación con el exterior.

El intercambio de calor por conducción-convección se calcula suponiendo que el cerramiento está formado por una o más láminas de vidrio y las cámaras de aire intercaladas. Su resistencia térmica vendrá dada por la expresión:

$$R = \frac{1}{h_{\text{in}}} + \frac{1}{h_{\text{ex}}} + \Sigma R_{ci} + \Sigma \frac{e_i}{\lambda_i}$$

donde:

R_{ci} es la resistencia térmica de la cámara de aire i.
e_i es el espesor de la lámina de vidrio i.
λ_i es la conductividad de la lámina de vidrio i.

Para facilitar los cálculos prácticos, la ya citada NBE-CT-79 propone una serie de valores para los coeficientes globales de transmisión de calor a través de ventanas en función del número de láminas de aire y del tipo de marco. Los reproducimos a continuación (datos en W/m² K):

Tabla 2.3. Coeficiente global de conducción para ventanas.

N.º de láminas de vidrio	Espesor cámara de aire (mm)	Carpintería	Inclinación ≥ 60°	Inclinación < 60°
1		Madera	5,0	5,5
		Metálica	5,8	6,5
2	6	Madera	3,3	3,5
		Metálica	3,4	4,3
	9	Madera	3,1	3,3
		Metálica	3,9	3,6
	13	Madera	2,9	3,1
		Metálica	3,7	4,0
Doble ventana	≥ 30	Madera	2,6	2,7
		Metálica	3,0	3,2

Tanto en períodos de calefacción como de no calefacción, interesa conseguir un buen aislamiento térmico frente a los mecanismos de conducción y convección, puesto que conlleva ahorro energético. Sin embargo, la conveniencia de aislar respecto del calor intercambiado por radiación ya no es tan clara, como veremos seguidamente.

a) Radiación del interior al exterior

Los recintos están a temperaturas relativamente bajas, alrededor de los 20 °C; en consecuencia, el calor radiado se sitúa en la zona del infrarrojo. Por otro lado, los vidrios corrientes tienen una transmitancia muy baja para estas longitudes de onda; por tanto, se comportan prácticamente como una pared opaca frente a la radiación procedente del interior.

Esto lleva a la conclusión de que las pérdidas de calor por radiación pueden ignorarse completamente sin cometer errores notables, que es la práctica habitual.

b) Radiación del exterior al interior

Debe considerarse solamente la radiación procedente del sol, puesto que la que viene del entorno se emite básicamente en la zona del infrarrojo, y el vidrio, como ya se ha dicho, es opaco en esta zona.

Si sobre una superficie acristalada incide luz solar, una parte de la misma se refleja, otra la atraviesa y el resto es absorbida y se disipa al interior y/o exterior en función de las temperaturas relativas del vidrio, el aire interior y el aire exterior; por ejemplo, si la superficie del vidrio está más caliente que el aire interior cederá calor al interior. Dado que la absortancia de los vidrios corrientes es muy pequeña, el calor absorbido también lo es y puede despreciarse su disipación frente a los demás flujos de calor. Así, el calor que entra por radiación a través de una superficie acristalada será:

$$Q = F_s \, \tau \, S \, I$$

donde:

F_s es un factor que tiene en cuenta sombras exteriores sobre la ventana.
τ es la transmitancia del vidrio.
S es la superficie del vidrio.
I es la energía solar por unidad de tiempo y por unidad de superficie.

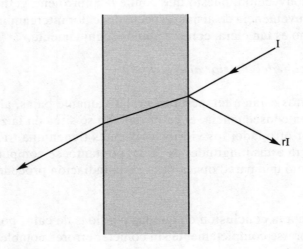

Figura 2.3.

Durante el verano, interesa que el calor que penetra en el recinto sea pequeño para ahorrar en refrigeración; sin embargo, en período invernal, importa lo contrario a fin de gastar menos en calefacción. Por tanto, será conveniente ver qué opción proporciona mayor ahorro y cuáles son las necesidades energéticas en verano y en invierno, antes de decidir acerca de la solución más adecuada.

2.2.3. Puentes térmicos [14]

Debido a la heterogeneidad de los cerramientos de cualquier edificio, existen zonas limitadas que tienen un coeficiente global de transmisión de calor inferior al del entorno; por ejemplo, columnas de hormigón, perfiles de acero, uniones de forjados con paredes verticales, cajas de persianas, etc. Estas zonas constituyen lo que ha dado en llamarse *puentes térmicos*, puesto que favorecen la transmisión de calor entre el interior y el exterior, y deben aislarse convenientemente.

La existencia de puentes térmicos no aislados incrementa las pérdidas de calor en invierno y las ganancias en verano, lo que perjudica el rendimiento térmico del edificio. En la práctica, las pérdidas de calor en invierno debidas a esta causa pueden representar alrededor del 10 % del total, lo cual no es despreciable. Además, en la zona del puente térmico, la temperatura superficial interior del cerramiento es menor que la del resto del cerramiento y el riesgo de condensación será mayor.

2.2.4. Condensación de vapor de agua en los cerramientos [9 y 14]

Como ya se ha dicho en apartados anteriores, se establece un gradiente de temperaturas a través de los cerramientos, junto con un gradiente de presión de vapor de agua (véanse los apartados 1.4.1 y 1.5). En aquellas zonas en que la presión de vapor es mayor que la presión de vapor saturado correspondiente a la temperatura del cerramiento, condensará vapor de agua y se formará agua líquida, que, por migración, puede trasladarse a las zonas vecinas.

La condensación superficial debe evitarse, puesto que la existencia de humedad favorece la aparición de hongos y microorganismos que forman manchas en las paredes, alteran la pintura, deterioran los recubrimientos, aceleran la oxidación en el caso de superficies metálicas, etc.

La condensación interna deteriora los materiales de construcción, acelera su envejecimiento y provoca que el agua migre hacia la superficie y ocasione los inconvenientes descritos anteriormente.

Tanto el aire interior como el exterior tendrán una presión de vapor que puede calcularse conociendo la humedad relativa y la presión de vapor saturado a la temperatura seca del aire [9]:

$$p = p_s \, \varphi$$

donde:

p es la presión de vapor.
p_s es la presión de vapor saturado.
φ es la humedad relativa en tanto por uno.

La presión de vapor saturado puede encontrarse en la tabla 1.8, o calcularse de forma muy aproximada mediante la expresión:

$$\text{In } p_s = 14{,}2928 - \frac{5.291}{T}$$

donde:

T es la temperatura en grados Kelvin.
p_s es la presión en bar.

La presión de vapor máxima del aire es la de saturación (humedad de 100 %). Por otro lado, la temperatura en cualquier punto de la pared estará comprendida entre la interior y la exterior; en consecuencia, sólo cabe esperar la formación de condensados en los casos siguientes:

a) Temperatura interior mayor que la exterior, situación de calefacción en invierno, con posibilidad de condensación en la superficie interior de la pared o en una zona interna de la misma.

80

b) Temperatura interior menor que la exterior, caso de una cámara frigorífica, con riesgo de condensación superficial exterior o en el seno de la pared.

Consideraremos solamente el primer caso, puesto que el otro es muy similar, y usaremos el método de análisis propuesto por la NBE-CT.

Para ello, supongamos un recinto con el aire a una presión parcial de vapor de agua p_{in} y a la temperatura t_{in}, separado del exterior por una pared no homogénea y estando el aire externo a la temperatura t_{ex} y presión parcial de vapor de agua p_{ex}. El análisis térmico permite calcular y representar gráficamente el gradiente de temperatura a través de la pared y, mediante la expresión anterior o la tabla 1.8, la presión de vapor saturado en cada punto de la misma. En la figura 2.4, se ha representado la gráfica temperatura-espesor con línea continua y la presión-espesor con línea discontinua.

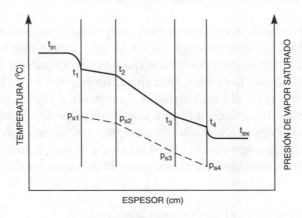

Figura 2.4.

En el apartado 1.5, vimos el cálculo de la variación de la presión de vapor a través de la pared y que su representación frente a la resistencia al paso de vapor era una línea recta. Si ahora representamos esta variación junto con la de la presión de vapor saturado (Fig. 2.5) podrán detectarse fácilmente las zonas donde se producirán condensaciones, aquellas en que la presión de vapor es superior a la de saturación, que en la gráfica citada es la zona situada a la derecha del punto A.

81

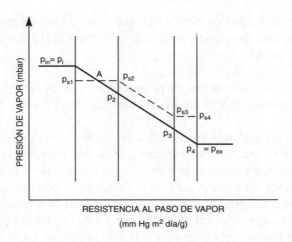

Figura 2.5.

2.2.5. Prevención de condensación superficial

Como ya se ha dicho anteriormente, se produce condensación superficial cuando la presión de vapor saturado correspondiente a la temperatura superficial de la pared es menor que la presión parcial de vapor del
aire en contacto con la misma. Esta situación se debe a que la pared está
demasiado fría (paredes mal aisladas, ventanas), o bien a que la humedad del aire es demasiado alta (cocinas, baños, piscinas, etc.). En este
caso, pueden adoptarse las soluciones siguientes: actuar sobre la temperatura superficial aumentando el aislamiento térmico, actuar sobre la humedad relativa reduciendo la concentración de vapor en el aire, o ambas
a la vez.

a) Actuación sobre el aislamiento térmico

La temperatura superficial t_1 de una pared se relaciona con el salto térmico total mediante la expresión:

$$\frac{t_{in} - t_{ex}}{R} = \frac{t_{in} - t_1}{R_{in}}$$

donde:

R_{in} es la resistencia superficial interior.

82

Para que no haya condensación debe cumplirse que esta temperatura sea mayor que la temperatura de saturación t_{ins}, con lo cual:

$$\frac{t_{in} - t_{ex}}{R} < \frac{t_{in} - t_{ins}}{R_{in}}$$

o bien:

$$R > R_{in} \frac{t_{in} - t_{ex}}{t_{in} - t_{ins}}$$

Como la resistencia interior viene impuesta y es conocida, podrá calcularse la resistencia total mínima necesaria, la cual puede escribirse en función de la pared sin aislar R_0 y de la resistencia del aislamiento R_a:

$$R = R_0 + R_a$$

que combinada con la anterior permite conocer la resistencia mínima de aislante necesaria:

$$R_a > R_{in} \frac{t_{in} - t_{ex}}{t_{in} - t_{ins}} - R_0$$

y, a partir de ella, calcular el espesor mínimo de aislante requerido para prever la formación de condensación superficial:

$$e_a > \lambda_a \frac{1}{h_{in}} \frac{t_{in} - t_{ex}}{t_{in} - t_{ins}} - R_0$$

Dado que no tiene sentido un espesor negativo, sólo será necesario incrementar el aislamiento térmico de un cerramiento para prevenir la condensación cuando se cumpla:

$$R_0 < \frac{1}{h_{in}} \frac{t_{in} - t_{ex}}{t_{in} - t_{ins}}$$

Sin embargo, deberá tenerse en cuenta que la exigencia de ahorro energético puede conducir a espesores mayores.

b) Actuación sobre la concentración de vapor en el aire interior

Otra forma de actuar consiste en controlar la concentración de vapor de agua del aire interior a fin de conseguir que su temperatura de saturación t_{ins} sea menor que la interior de la pared t_1. Comoquiera que:

$$t_1 = t_{in} - \frac{R_{in}}{R} (t_{in} - t_{ex})$$

o bien:

$$t_1 = t_{in} - \frac{U}{h_{in}} (t_{in} - t_{ex})$$

resulta:

$$t_{ins} < t_{in} - \frac{U}{h_{in}} (t_{in} - t_{ex})$$

expresión que permite averiguar la presión parcial de vapor máxima admisible del aire interior, ya que coincide con la presión de vapor saturado a la temperatura t_{ins} (temperatura de rocío).

Conociendo la presión parcial del vapor de agua puede calcularse la concentración, puesto que [9]:

$$w = \frac{28,97}{18,019} \left(\frac{p}{p_v} - 1 \right)$$

donde:

w es la concentración en kg de vapor/kg de aire seco.
p es la presión total en el interior del recinto.
p_v es la presión parcial del vapor de agua.

Si en un recinto ventilado se genera vapor de agua, la concentración en el aire puede calcularse a partir del balance másico (Fig. 2.6).

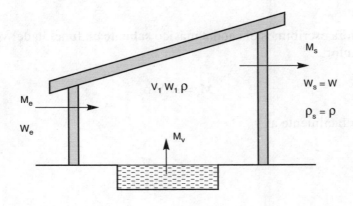

Figura 2.6.

$$M_e \, w_e + M_v = M_s \, w_s$$

donde:

M_e es el caudal másico de aire seco entrante.
M_s es el caudal másico de aire seco saliente.
M_v es el caudal másico de vapor generado en el interior del recinto.
w_e es la concentración de vapor del aire entrante.
w_s es la concentración de vapor del aire saliente.

Puesto que la concentración de vapor del aire saliente, si el aire interior se considera homogéneo, es igual a la interior del recinto, la concentración máxima admisible será:

$$w = \frac{M_e w_e + M_v}{M_s}$$

y como además los caudales de aire seco entrante y saliente deben ser iguales:

$$w = w_e + \frac{M_v}{M_s}$$

Si ahora escribimos el caudal másico saliente en función del volumen del recinto:

$$M_s = N \, V \, \rho_s$$

se llega fácilmente a:

$$w = w_e + \frac{M_v}{NV\rho_s}$$

donde:

N es el número de renovaciones por unidad de tiempo.
V es el volumen del recinto.
ρ_s es la densidad del aire seco en las condiciones de salida.

Finalmente, podemos calcular la tasa de ventilación mínima necesaria para evitar condensación superficial:

$$N = \frac{M_v}{V\rho_s(w - w_e)}$$

La densidad del aire seco en las condiciones de salida viene dada por [9]:

$$\rho_s = \frac{p - p_v}{287{,}05\, T_s}$$

donde:

p y p_v vienen dadas en Pa.
T_s es la temperatura de salida, que coincide con la del recinto, en K.
ρ_s es la densidad del aire seco en kg/m^3.

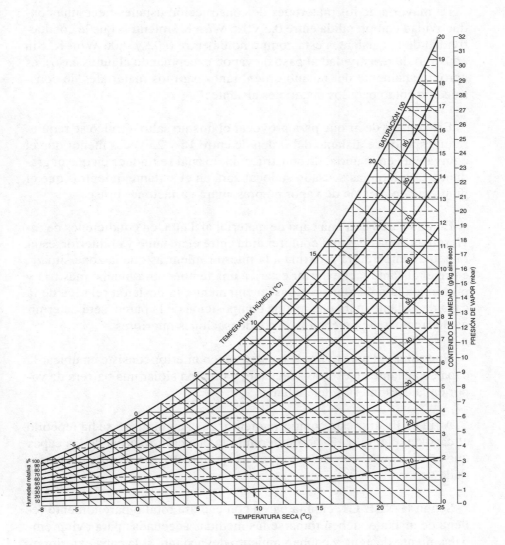

Figura 2.7.

2.2.6. Prevención de condensación interior [14]

La mayoría de los materiales de construcción usuales tiene una conductividad comprendida entre 0,3 y 1,6 W/m K , mientras que la conductividad de los aislantes está comprendida entre 0,02 y 0,06 W/m K. Sin embargo, la resistividad al paso de vapor, exceptuando algunos casos, es aproximadamente del mismo orden, tanto para los materiales de construcción como para los materiales aislantes.

Esto quiere decir que para provocar el mismo salto térmico se requiere un espesor de aislante del orden de entre 15 y 25 veces menor que el equivalente en material de construcción, lo cual se traduce en que el gradiente térmico más acusado se localizará en el aislante, mientras que el gradiente de presión de vapor no presentará variaciones bruscas.

En una pared con una capa de material aislante, en condiciones de invierno, la zona de pared comprendida entre el aislante y el interior, estará a una temperatura próxima a la interior mientras que la zona situada entre el aislante y el exterior estará a una temperatura mucho más fría y próxima a la del exterior. Consecuentemente, la posición relativa de la capa de aislante, para una misma composición de la pared, será determinante frente a la prevención de condensaciones interiores.

Una solución para evitar la condensación interior consiste en ubicar la capa de aislante en el sitio adecuado, y otra, en situar una barrera de vapor en la cara interior del aislante.

A fin de ilustrar este comportamiento, en el ejemplo 15 se ha repetido el caso del ejemplo 12, pero alterando la posición relativa de las capas que configuran el cerramiento y, en el ejemplo 16, instalando una barrera de vapor.

Según la NBE-CT, en una pared con cámara total o parcialmente rellena de aislante, deben tomarse las medidas adecuadas para evitar embalsamiento de agua y encharcamiento del aislante si la capa exterior es muy delgada. En concreto recomienda un espesor mínimo de 1 cm entre el aislante y el exterior, y además practicar agujeros de drenaje inclinados hacia el exterior a fin de permitir la evacuación del agua que pueda condensar.

2.2.7. Aislamiento y ahorro [8 y 10]

En términos generales, siempre deben aislarse térmicamente los edificios, puesto que ello conlleva ahorro energético que en cualquier caso es deseable. Ahora bien, a veces, no puede tener mucho sentido calcular el espesor económicamente óptimo del aislamiento, ya que el coste en material e instalación se diluye a lo largo de un número considerable de años, y los gastos de mantenimiento son nulos o casi nulos, lo cual puede conducir a espesores del todo exagerados.

Por otro lado, todo cálculo económico correcto implica la previsión de la evolución de los precios, lo que, para períodos de tiempo muy largos carece de fiabilidad, lo que refuerza todavía más la falta de sentido del concepto espesor económicamente óptimo.

Sin embargo, para edificios o recintos provisionales o de ocupación limitada en el tiempo, sí que puede ser útil calcular el aislamiento óptimo y en esta dirección se orienta este apartado.

a) Rendimiento global en la producción y transporte de calor y frío

Para aportar el calor demandado en la calefacción de un recinto, se consume energía primaria en el generador de calor y en su transporte desde el lugar donde se genera hasta el sitio donde se demanda (Fig. 2.8).

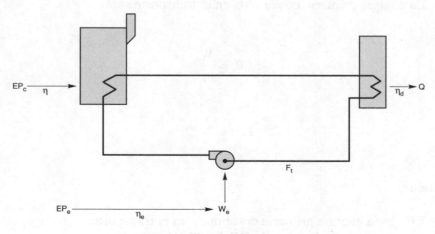

Figura 2.8.

89

Así, suponiendo que se genera calor mediante una caldera de combustible fósil, la energía primaria consumida en la generación de calor será:

$$EP_c = \frac{Q}{\eta_c \eta_d}$$

donde:

EP_c es la energía primaria consumida en forma de combustible.
Q   es el calor demandado.
η_c es el rendimiento de la caldera.
η_d es el rendimiento de distribución y equilibrado.

Se define *factor de transporte* (f_t) como la relación entre la energía eléctrica (We) consumida en bombas o ventiladores utilizados para transportar el calor, y el calor transportado:

$$f_t = \frac{W_e}{Q}$$

La energía primaria consumida en el transporte será:

$$EP_e = \frac{W_e}{\eta_e}$$

$$EP_e = \frac{f_t}{\eta_e} Q$$

donde:

EP_e es la energía primaria consumida en el transporte.
η_e es el rendimiento global de la red eléctrica.

90

Por tanto, la energía primaria consumida total será:

$$EP = \left(\frac{1}{\eta_c \eta_d} + \frac{f_t}{\eta_e}\right) Q$$

Si lo que interesa es el coste económico de la energía consumida en calefacción, tendremos:

$$C = \left(\frac{v_c}{\eta_c \eta_d} + f_t v_e\right) Q$$

donde:

v$_c$ es el coste del combustible en pta/kWh.

v$_e$ es el coste de la energía eléctrica en pta/kWh.

El coste unitario referido a la unidad de calor útil será:

$$CU = \frac{v_c}{\eta_c \eta_d} + f_t v_e$$

Si el calor es generado por una bomba de calor eléctrica, mediante sencillos razonamientos se llega a la expresión:

$$CU = \left(\frac{1}{COP_t \eta_d} + f_t\right) v_e$$

donde:

COP$_t$ es la eficiencia térmica de la bomba de calor.

De forma análoga, puede calcularse el coste unitario de refrigeración:

$$CU = \left(\frac{1}{COP_f \eta_d} + f_t\right) v_e$$

donde:

COP_f es la eficiencia frigorífica de la máquina de refrigeración.

Debe tenerse en cuenta que los factores de transporte para la calefacción y la refrigeración, normalmente, serán distintos, y lo mismo ocurrirá con el rendimiento de distribución y el equilibrado. En el reglamento de calefacción, refrigeración y ACS (IT.IC.19), y a fin de no derrochar energía, se establecen valores máximos para el factor de transporte; ello obliga a proyectar las instalaciones con el aislamiento térmico adecuado en tuberías y conductos, cuidar la elección y trazado de conductos para tener pérdidas de presión razonables, e instalar máquinas impulsoras adecuadas a las necesidades de la instalación.

b) Grados día anuales (GDA)

La temperatura del aire atmosférico varía a lo largo del día (Fig. 2.9), y si se define la temperatura de referencia para calefacción (t_b) como aquella temperatura exterior por encima de la cual no es necesario aportar calor de calefacción para mantener la temperatura interior de bienestar, pueden calcularse los grados día, que se definen como:

$$GD = t_b - t_m$$

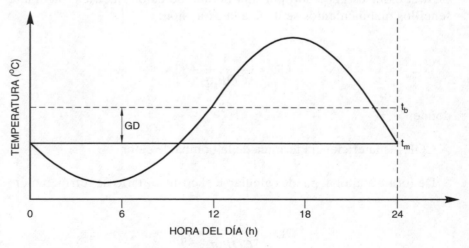

Figura 2.9.

92

donde:

t_b es la temperatura base de cálculo de los GD.

t_m es la temperatura media diaria.

Si se dispusiera de la cantidad de datos suficientes, podrían calcular-se las temperaturas medias horarias para cada día del año. En la mayoría de los casos, sólo se dispone de valores medios mensuales de las temperaturas diarias trihorarias, o bien de la máxima y mínima. Un método para calcular los GD consiste en ajustar una curva a los datos conocidos y calcular la suma.

Así, podemos calcular los grados día correspondientes a un mes determinado como el producto de los grados día del día medio correspondiente a este mes por su número de días (D_i):

$$GDM_i = GD_i \, D_i$$

y, finalmente, los grados día anuales:

$$GDA = \Sigma \, GDM_i$$
$$= \Sigma \, GD_i \, D_i$$

Nótese que los GDA, para una zona determinada, dependen de la temperatura base de referencia y que, cuanto más alta sea esta temperatura, mayor será su valor. En consecuencia, la representación de los GDA frente a la temperatura de referencia será una gráfica del tipo representado en la figura 2.10.

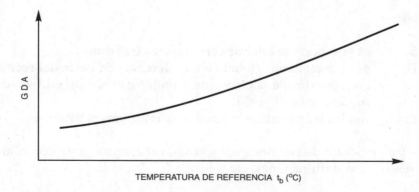

TEMPERATURA DE REFERENCIA t_b (ºC)

Figura 2.10.

c) Temperatura base de los grados día

Para un recinto en temporada de calefacción, podemos imaginar los flujos de calor siguientes (Fig. 2.11):

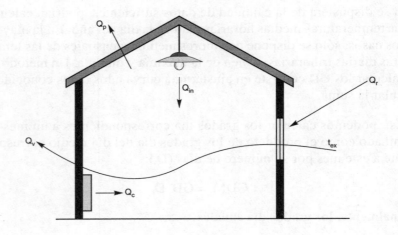

Figura 2.11.

– Calor, por unidad de tiempo, disipado al exterior por transmisión a través de los cerramientos:

$$Q_p = S U_g (t_{in} - t_{ex})$$

donde:

S   es la superficie total de cerramientos exteriores.

U_g es el coeficiente global de transferencia de calor del recinto que aproximadamente puede asimilarse al KG del edificio definido por la NBA-CT.

t_{in} y t_{ex} son las temperaturas interior y exterior, respectivamente.

– Calor, por unidad de tiempo, expulsado al exterior junto con el aire de renovación, infiltraciones, etc.:

$$Q_v = V N c_{pa} \rho_a (t_{in} - t_{ex})$$

94

donde:

V es su volumen.
N es el número de renovaciones hora.
c_{pa} es el calor específico del aire a presión constante.
ρ_a es su densidad.

– Calor, por unidad de tiempo, generado en el interior (Q_{in}) debido a la actividad y uso del recinto, ocupantes, iluminación, aparatos y máquinas en funcionamiento, etc., y calor procedente del exterior (Q_r), básicamente en forma de radiación solar, que atraviesa las ventanas y otros.

El balance térmico alrededor del recinto establece:

$$Q + Q_{in} + Q_r = Q_p + Q_v$$

donde:

Q es el calor por unidad de tiempo demandado en calefacción.

Según las expresiones anteriores, Q viene dado por:

$$Q = S\, U_g\, (t_{in} - t_{ex}) + V\, N\, c_{pa}\, \rho_a\, (t_{in} - t_{ex}) - (Q_r - Q_{in})$$

que puede escribirse en la forma:

$$Q = V\, G\, (t_{in} - t_{ex}) - (Q_r - Q_{in})$$

G es el coeficiente de pérdidas por unidad de volumen:

$$G = F\, U_g + N\, c_{pa}\, \rho_a$$

donde:

F = S/V es el factor de forma del recinto.

Si ahora definimos un incremento de temperatura ficticia tal que:

$$\Delta t = \frac{Q_r + Q_{in}}{VG} = \frac{q_r + q_{in}}{G}$$

obtenemos, finalmente:

$$Q = V \, G \, [t_{in} - (t_{ex} + \Delta t)]$$

o sea, que las aportaciones de calor no debidas a calefacción pueden asimilarse a un incremento ficticio de la temperatura exterior.

Podemos definir *temperatura de referencia* como aquella temperatura exterior para la cual el calor demandado es nulo (el paréntesis de la fórmula anterior es nulo):

$$t_r = t_{ex} = t_{in} - \Delta t$$

$$t_r = t_{in} - \frac{q_r + q_{in}}{G}$$

La exposición anterior es válida para los flujos de calor instantáneos. Si los intercambios de calor se extienden a lo largo del día, y utilizamos temperaturas medias diarias, puede usarse la temperatura de referencia como temperatura base para calcular los grados día.

Es interesante resaltar que la temperatura de referencia depende, fundamentalmente, de la interior de bienestar, pero también del grado de aislamiento del recinto (G), del calor aportado por focos interiores (q_{in}) y de las aportaciones gratuitas exteriores (q_r) por unidad de volumen.

d) Consumo y coste anual

Según lo expuesto anteriormente, el calor total demandado a lo largo del día será:

$$Q_d = V \, G \, \Sigma[t_{in} - (t_{ex} + \Delta t)]_i \qquad \text{sólo si } t_{in} - \Delta t > t_{ex}$$
$$= V \, G \, \Sigma(t_r - t_{ex})_i \qquad \text{sólo si } t_{ir} > t_{ex\,i}$$

y si identificamos la temperatura de referencia con la temperatura base para el cálculo de los grados día:

$$Q_d = 24 \, V \, G \, GD$$

96

con lo cual el calor demandado a lo largo del año puede estimarse como:

$$Q_a = 24 \ V \ G \ GDA$$

Los grados día mensuales y anuales de una zona suelen tabularse para unas temperaturas base determinadas, y el usuario elige aquella que mejor se acomoda a su situación. Las temperaturas de base más usuales son 15, 18, 24 y 27 °C.

La energía consumida en calefacción (véase el apartado 2.2.7) vendrá dada por la expresión:

$$E = 24 \ \eta \ f_{ui} \ V \ G \ GDA$$

donde:

η es el rendimiento global de la instalación de calefacción.
f_{ui} es un factor de utilización e intermitencia.

Este factor tiene en cuenta cómo se utiliza el recinto. Si se utiliza ininterrumpidamente durante toda la temporada de calefacción, valdrá la unidad y, en caso contrario, será menor que la unidad. También debe tenerse en cuenta que, para los GDA, sólo deben contabilizarse aquellos meses durante los cuales se utiliza el recinto.

e) Cálculo del ahorro

El coeficiente de pérdidas por unidad de volumen G disminuye a medida que mejora el aislamiento térmico y se evitan fugas al exterior. Si se representa su variación frente al espesor de aislante, se obtendrá una gráfica decreciente.

Por otro lado, se cumple que, para una misma temperatura interior, al disminuir el factor G, disminuye la temperatura de referencia, y al disminuir la temperatura de referencia, disminuye el valor de los grados día. En consecuencia, la representación gráfica de los grados día anuales frente al espesor de aislante será una función decreciente.

Podemos aceptar que el coste integral anual de calefacción (CIC) viene dado por los siguientes componentes:

– Coste energético anual, que, al ser función de los grados día anuales será una función decreciente con el espesor de aislante:

$$CE = E\, v_e$$

donde:

v_e es el coste unitario de la energía consumida.

– Coste del material utilizado y su instalación, que dependerá de su volumen y, en consecuencia, variará linealmente con el espesor:

$$CI = S_a\, (\,e\, v_a + v_i)$$

donde:

S_a es la superficie aislada.
e es el espesor de aislante.
v_a es el precio del aislante por unidad de volumen.
v_i es el coste de instalación por unidad de superficie aislada.

– Coste del capital invertido a lo largo de la vida de la instalación:

$$CC = CI\,(1 + i)^N$$

donde:

i es la tasa de interés anual.
N es los años de vida de la instalación.

En consecuencia, el coste integral anual:

$$CI = CE + CC/N$$

Presenta un mínimo que permite localizar el espesor óptimo (Fig. 2.12).

98

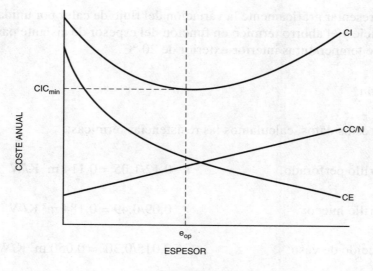

Figura 2.12.

Nótese que el coste energético depende del valor de los GDA, y los costes de instalación y material, de la vida de la instalación. Si el edificio se utiliza ininterrumpidamente durante todo el año y la vida de la instalación es muy larga (es el caso más frecuente), la pendiente de la recta CC/N será muy pequeña y el espesor óptimo, exageradamente grande.

2.2.8. Ejemplos de cálculo

Ejemplo 9

Una pared vertical exterior tiene la composición siguiente:

	Espesor (cm)	Conductividad (W/m K)
Ladrillo perforado (exterior)	12	1,05
Aislante térmico	e_a	0,04
Ladrillo hueco	9	0,49
Enlucido de yeso (interior)	1,5	0,30

Representar gráficamente la variación del flujo de calor por unidad de superficie y el ahorro térmico en función del espesor de aislante para un salto de temperaturas interior-exterior de 20 °C.

Solución

Con estos datos, calculamos las resistencias térmicas:

Ladrillo perforado: $0{,}12/1{,}05 = 0{,}114$ m² K/W

Ladrillo hueco: $0{,}09/0{,}49 = 0{,}184$ m² K/W

Enlucido de yeso: $0{,}015/0{,}30 = 0{,}050$ m² K/W

De la tabla 2.1, para una pared vertical exterior: $= 0{,}20$ m² K/W

con lo cual el coeficiente global de la pared sin aislante vale:

$$U_0 = 1/0{,}548 = 1{,}825 \text{ W/m}^2 \text{ K}$$

El flujo de calor por unidad de superficie para la pared en función del espesor de aislante es:

$$\frac{Q}{S} = \frac{1{,}825 \times 0{,}04}{0{,}04 + 1{,}825 e_a} \times 20 = \frac{1{,}46}{0{,}04 + 1{,}825 e_a}$$

y el ahorro energético, en tanto por ciento, también referido a la unidad de superficie:

$$A = \frac{182{,}5 e_a}{0{,}04 + 1{,}825 e_a}$$

A partir de estas expresiones, elaboramos la tabla 2.4 y la figura 2.2:

100

Tabla 2.4.

e (cm)	Q (W/m²)	A %
0	36,50	0
1	25,06	31,3
2	19,08	47,7
3	15,41	57,8
4	12,92	64,6
6	9,77	73,2
10	6,56	82,0
20	3,60	90,1
50	1,53	95,8

Ejemplo 10

Una pared vertical de ladrillo perforado y ladrillo hueco recubierto interiormente con un enlucido de yeso tiene, del exterior al interior, las características siguientes:

	Espesor (cm)	Conductividad (W/m K)	Resistividad al vapor de agua (mm Hg m² día(g cm)
Ladrillo perforado	12	1,05	0,031
Ladrillo hueco	9	0,49	0,026
Enlucido de yeso	1,5	0,30	0,052

El aire interior está a 20 °C y tiene una humedad relativa del 60 %, y el exterior está a 5 °C y tiene un 70 % de humedad.

101

Calcular la variación de temperatura y presión de vapor a través de la pared. Hacer la representación gráfica e indicar si se producen condensaciones.

Solución

En la tabla 1.8, o utilizando la expresión antes expuesta, encontramos la presión parcial de vapor del aire interior si estuviera saturado:

$$p_{si} = 23{,}38 \text{ mbar}$$

Dado que la humedad relativa es del 60 %, la presión parcial de vapor del aire interior será:

$$p_i = 23{,}38 \times 0{,}60 = 14{,}03 \text{ mbar}$$

y análogamente para el aire exterior:

$$p_e = 8{,}72 \times 0{,}70 = 6{,}10 \text{ mbar}$$

El salto térmico total a través de la pared es:

$$\Delta t = 20 - 5 = 15 \text{ °C}$$

y la diferencia de presión de vapor entre el interior y exterior:

$$\Delta p = 14{,}03 - 6{,}10 = 6{,}93 \text{ mbar}$$

Calculando la resistencia térmica y la resistencia al paso de vapor de cada elemento de la pared, podemos averiguar los incrementos de temperatura y presión de vapor.

	Resistencia térmica m² K/M	Incremento de t °C	Resist. al paso de vapor mmHg m² día/g	Incremento de p mbar
Superficie exterior	0,06	1,74	0	0
Ladrillo perforado	0,114	3,30	0,372	4,313
Ladrillo hueco	0,184	5,33	0,234	2,713
Enlucido yeso	0,050	1,45	0,078	0,904
Superficie interior	0,110	3,19	0	0
Total	0,518	15	0,684	7,93

A partir de estos datos, podemos calcular la temperatura, la presión de saturación y la presión de vapor en cada punto de la pared:

	Temperatura °C	Presión de saturación mbar	Presión de vapor mbar
Aire exterior	5	8,72	6,1
Exterior-ladrillo perforado	6,74	9,84	6,1
Ladrillo perforado-hueco	10,04	12,35	10,41
Ladrillo hueco-enlucido	15,37	17,46	13,13
Enlucido-aire interior	16,82	19,15	14,03
Aire interior	20	23,38	14,03

Con estos datos, pueden trazarse las gráficas de la figura 2.13.

No hay condensación puesto que la presión parcial de vapor existente en la pared se mantiene por debajo de la de saturación en cualquier punto de la misma.

Ejemplo 11

Rehacer el problema anterior, pero suponiendo que la humedad relativa tanto en el interior como en el exterior es del 90 %.

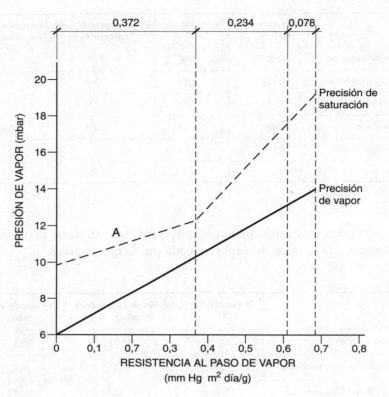

Figura 2.13.

Solución

El problema se resuelve igual que en el caso anterior, con la única diferencia de que las presiones parciales interior y exterior serán ahora:

$$p_i = 23{,}38 \times 0{,}90 = 21{,}04 \text{ mbar}$$

$$p_e = 8{,}72 \times 0{,}90 = 7{,}85 \text{ mbar}$$

y la diferencia de presión de vapor entre el interior y exterior:

$$\Delta p = 21{,}04 - 7{,}85 = 13{,}19 \text{ mbar}$$

Finalmente, obtenemos:

104

	Temperatura °C	Presión de saturación mbar	Presión de vapor mbar
Aire exterior	5	8,72	7,85
Exterior-ladrillo perforado	6,74	9,84	7,85
Ladrillo perforado-hueco	10,04	12,35	15,02
Ladrillo hueco-enlucido	15,37	17,46	19,54
Enlucido aire-interior	16,82	19,15	21,04
Aire interior	20	23,38	21,04

A partir de estos datos, trazamos las gráficas de la figura 2.14, en la cual vemos que, desde el punto A hacia la derecha, la presión parcial de vapor calculada es superior a la de vapor saturado. Esto indica que se condensará agua líquida sobre la superficie interior y en el seno de la pared.

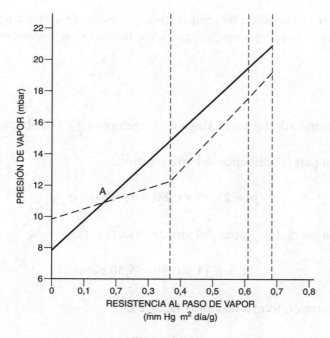

Figura 2.14.

105

Ejemplo 12

Una pared vertical tiene la composición siguiente:

	Espesor (cm)	Conductividad (W/m K)	Resistividad al vapor de agua (mm Hg m² día/g cm)
Enlucido yeso	1,5	0,3	0,052
Ladrillo hueco	4	0,49	0,026
Poliuretano	5	0,023	0,066
Ladrillo hueco	9	0,49	0,026

El aire interior está a 20 °C y tiene una humedad relativa del 80 %, y el exterior está a 0 °C y tiene un 90 % de humedad.

Calcular la variación de temperatura y presión de vapor a través de la pared. Hacer la representación gráfica e indicar si se producen condensaciones.

Solución

Procediendo de forma análoga a los ejemplos 9 y 10, obtenemos:

Presión parcial de vapor del aire interior:

$$p_i = 23,38 \times 0,80 = 18,70 \text{ mbar}$$

Presión parcial de vapor del aire exterior:

$$p_e = 6,11 \times 0,90 = 5,50 \text{ mbar}$$

Salto térmico total a través de la pared:

$$\Delta t = 20 - 0 = 20 \text{ °C}$$

Diferencia de presión de vapor:

$$\Delta p = 18,70 - 5,50 = 13,20 \text{ mbar}$$

Resistencia térmica, resistencia al paso de vapor e incrementos de temperatura y presión de vapor:

	Resistencia térmica m² K/W	Incremento de t °C	Resist. al paso de vapor mmHg m² día/g	Incremento de p mbar
Superficie interior	0,110	0,82	0	0
Enlucido	0,050	0,38	0,078	1,380
Ladrillo hueco	0,082	0,62	0,104	1,840
Poliuretano	2,174	16,35	0,330	5,839
Ladrillo hueco	0,184	1,38	0,234	4,140
Superficie exterior	0,060	0,45	0	0
Total	2,660	20	0,746	13,20

La temperatura, la presión de saturación y la presión de vapor en cada punto de la pared será:

	Temperatura °C	Presión de saturación mbar	Presión de vapor mbar
Aire interior	20	23,38	18,70
Aire interior-enlucido	19,18	22,21	18,70
Enlucido-ladrillo	18,80	21,69	17,32
Ladrillo-poliuretano	18,18	20,86	15,48
Poliuretano-ladrillo	1,80	6,96	9,64
Ladrillo-aire exterior	0,42	6,29	5,50
Aire exterior	0	6,11	5,50

A partir de estos datos, trazamos las gráficas de la figura 2.15.

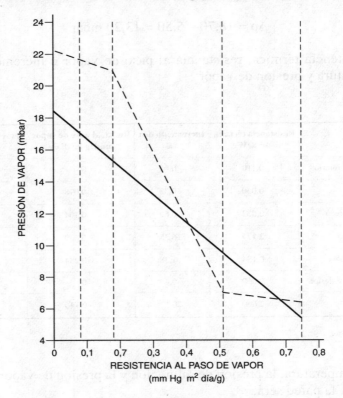

Figura 2.15.

En la superficie de separación poliuretano-ladrillo, la presión de vapor es mayor que la de saturación, y se condensará agua.

Ejemplo 13

La resistencia térmica de una pared es de 0,6 m² K/W; la temperatura del aire interior es de 22 °C y tiene una humedad relativa del 70 %, y el exterior está a 0 °C.

Averiguar si el aislamiento es suficiente para prever condensación superficial, y el espesor de aislante de conductividad 0,05 W/m K que debe añadirse si se acepta un coeficiente de convección interior de 7,7 W/m² K.

108

Solución

Mediante la tabla 1.8, averiguamos los datos siguientes:

presión parcial de vapor en el interior $= 26,57 \times 0,7 = 18,60$ mbar

temperatura de saturación a 18,60 mbar $= 16,27$ °C

Resistencia térmica mínima necesaria:

$$R_0 = \frac{1}{7,7} \times \frac{20 - 0}{20 - 16,27} = 0,696 \text{ m}^2 \text{ K/W}$$

que al ser mayor que la propia de la pared indica que deberá aumentarse el aislamiento.

El espesor mínimo de aislante es:

$$e_a = 0,05 \times \frac{1}{7,7} \times \frac{20 - 0}{20 - 16,27} = 0,6 = 0,008 \text{ m}$$

Ejemplo 14

Un recinto de 600 m³ está a una temperatura de 22 °C. Para la ventilación se utiliza aire exterior a 0 °C y con una humedad del 80 %. En su interior se generan 2,5 kg de vapor de agua cada hora.

Calcular la tasa de ventilación necesaria para evitar que se condense vapor sobre el vidrio de las ventanas, sabiendo que su espesor es de 4 mm y su conductividad 0,95 W/m K. Para los cálculos, suponer que la presión atmosférica es de 1,013 bar.

Solución

Mediante las tablas 2.1 y 2.2, calculamos:

Resistencia térmica interior: $R_{in} = 0,17$ m² K/W

Resistencia térmica exterior: $R_{ex} = 0,11$ m² K/W

Resistencia térmica total: $R = 0,11 + \dfrac{0,004}{0,95} + 0,17 = 0,284 \text{ m}^2 \text{ K/W}$

La temperatura de la cara interior del vidrio será:

$$t_1 = 22 - 22 \times \dfrac{0,17}{0,284}$$

En el diagrama psicrométrico (Fig. 2.7) se lee la concentración de vapor de agua en las condiciones de aire exterior (0 °C y 80 % de humedad):

$$w_e = 2,9 \text{ g/kg}$$

y la de saturación a la temperatura del vidrio (8,8 °C y 100 % de humedad), que será la máxima admisible:

$$w_s = 7 \text{ g/kg}$$

con lo cual la humedad relativa máxima admisible es del 42 % a 22 °C.

Ahora debemos averiguar la densidad del aire en las condiciones de salida, y, para ello, calcular:

presión parcial de vapor en el aire del recinto:

$$p_v = 26,57 \times 0,42 = 11,2 \text{ mbar}$$

y la densidad del aire seco:

$$\rho_s = \dfrac{(1,013 - 0,0112) \times 10^5}{287,05 \times (273 + 22)} = 1,183 \text{ kg/m}^3$$

Finalmente, la tasa de ventilación será:

$$N = \dfrac{2,5 \times 1.000}{600 \times (7 - 2,9) \times 1,183} = 0,86 \text{ h}^{-1}$$

110

Ejemplo 15

Una pared vertical tiene la composición siguiente:

	Espesor (cm)	Conductividad (W/m K)	Resistividad al vapor de agua (mm Hg m² día/g cm)
Enlucido yeso	1,5	0,3	0,052
Ladrillo hueco	9	0,49	0,026
Poliuretano	5	0,023	0,066
Ladrillo hueco	4	0,49	0,026

El aire interior está a 20 °C y tiene una humedad relativa del 80 %, y el exterior está a 0 °C y tiene un 90 % de humedad.

Calcular la variación de temperatura y presión de vapor a través de la pared. Hacer la representación gráfica e indicar si se producen condensaciones.

Solución

Procediendo de forma análoga a los ejemplos 9 y 10, obtenemos:

Presión parcial de vapor del aire interior:

$$p_i = 23,38 \times 0,80 = 18,70 \text{ mbar}$$

Presión parcial de vapor del aire exterior:

$$p_e = 6,11 \times 0,90 = 5,50 \text{ mbar}$$

Salto térmico total a través de la pared:

$$\Delta t = 20 - 0 = 20 \text{ °C}$$

111

Diferencia de presión de vapor:

$$\Delta p = 18,70 - 5,50 = 13,20 \text{ mbar}$$

Resistencia térmica, resistencia al paso de vapor e incrementos de temperatura y presión de vapor:

	Resistencia térmica m² K/M	Incremento de t °C	Resist. al paso de vapor mmHg m² día/g	Incremento de p mbar
Superficie interior	0,110	0,82	0	0
Enlucido	0,050	0,38	0,078	1,380
Ladrillo hueco	0,184	1,38	0,234	4,140
Poliuretano	2,174	16,35	0,330	5,839
Ladrillo hueco	0,082	0,62	0,104	1,840
Superficie exterior	0,060	0,45	0	0
Total	2,660	20	0,746	13,20

A partir de estos datos, averiguamos la temperatura, la presión de saturación y la presión de vapor en cada punto de la pared:

	Temperatura °C	Presión de saturación mbar	Presión de vapor mbar
Aire interior	20	23,38	18,70
Aire interior-enlucido	19,18	22,21	18,70
Enlucido-ladrillo	18,80	21,69	17,32
Ladrillo-poliuretano	17,42	19,89	13,18
Poliuretano-ladrillo	1,07	6,60	7,34
Ladrillo-aire exterior	0,45	6,31	5,50
Aire exterior	0	6,11	5,50

y trazamos las gráficas de la figura 2.16.

112

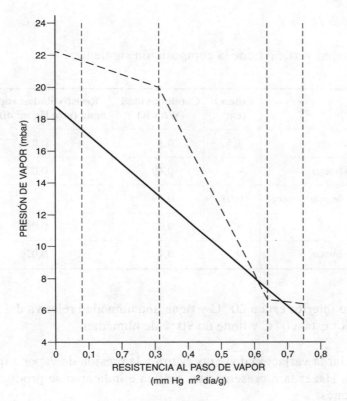

Figura 2.16.

En el ejemplo 12, la diferencia entre la presión de saturación y la presión parcial de vapor en la superficie poliuretano-ladrillo era:

$$6,96 - 9,64 = -2,68 \text{ mbar}$$

ahora la diferencia es:

$$6,60 - 7,34 = -0,74 \text{ mbar}$$

Aunque continúa habiendo condensación, la diferencia se ha reducido notablemente. Bastaría con elegir un aislante con una resistencia al paso de vapor algo mayor y con una conductividad semejante para solucionar el problema.

113

Ejemplo 16

Una pared vertical tiene la composición siguiente:

	Espesor (cm)	Conductividad (W/m K)	Resistividad al vapor de agua (mm Hg m² día/g cm)
Enlucido yeso	1,5	0,3	0,052
Ladrillo hueco	4	0,49	0,026
Lámina de poliestireno	0,01	0,19	–
Poliuretano	5	0,023	0,066
Ladrillo hueco	9	0,49	0,026

El aire interior está a 20 °C y tiene una humedad relativa del 80 %, y el exterior está a 0 °C y tiene un 90 % de humedad.

Calcular la variación de temperatura y la presión de vapor a través de la pared. Hacer la representación gráfica e indicar si se producen condensaciones.

Solución

Procediendo de forma análoga a los ejemplos 9 y 10, obtenemos:

Presión parcial de vapor del aire interior:

$$p_i = 23,38 \times 0,80 = 18,70 \text{ mbar}$$

Presión parcial de vapor del aire exterior:

$$p_e = 6,11 \times 0,90 = 5,50 \text{ mbar}$$

Salto térmico total a través de la pared:

$$\Delta t = 20 - 0 = 20 \text{ °C}$$

114

Diferencia de presión de vapor:

$$\Delta p = 18,70 - 5,50 = 13,20 \text{ mbar}$$

Resistencia térmica, resistencia al paso de vapor e incrementos de temperatura y presión de vapor:

	Resistencia térmica m² K/M	Incremento de t °C	Resist. al paso de vapor mmHg m² día/g	Incremento de p mbar
Superficie interior	0,110	0,82	0	0
Enlucido	0,050	0,38	0,078	0,050
Ladrillo hueco	0,082	0,62	0,104	0,066
Lámina poliuretano	0	0	20	12,725
Poliuretano	2,174	16,35	0,330	0,210
Ladrillo hueco	0,184	1,38	0,234	0,149
Superficie exterior	0,060	0,45	0	0
Total	2,660	20	20,746	13,20

A partir de estos datos, encontramos la temperatura, la presión de saturación y la presión de vapor en cada punto de la pared:

	Temperatura °C	Presión de saturación mbar	Presión de vapor mbar
Aire interior	20	23,38	18,70
Aire interior-enlucido	19,18	22,21	18,70
Enlucido-ladrillo	18,80	21,69	18,65
Ladrillo-lámina poliestireno	18,18	20,86	18,58
Lámina poliest-poliuretano	18,18	20,86	5,86
Poliuretano-ladrillo	1,8	6,96	5,65
Ladrillo-aire exterior	0,42	6,29	5,50
Aire exterior	0	6,11	5,50

115

y trazamos las gráficas de la figura 2.17.

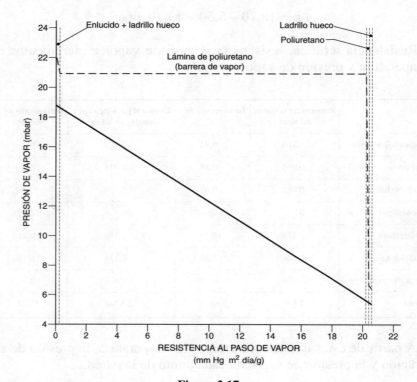

Figura 2.17.

No hay condensación en el interior de la pared.

Ejemplo 17

Una instalación de calefacción está formada por una caldera, un sistema de distribución y un conjunto de emisores de calor. El rendimiento de la caldera es del 90 %, y el de la distribución y el equilibrado del 95 %. El calor se transporta mediante un caudal de agua de 4.300 l/h, que llega a los emisores a la temperatura de 80 °C y sale de los mismos a 70 °C mediante una bomba que consume una potencia eléctrica de 3 kW.

Calcular el coste unitario del calor útil si el coste del combustible es de 0,006 pta/kcal y el de la electricidad consumida de 18 pta/kWh.

Solución

El calor útil transportado por unidad de tiempo es:

$$Q = 4.300 \times 1 \times (80 - 70)/860 = 50 \text{ kW}$$

con lo cual el factor de transporte resulta:

$$f_t = 3/50 = 0,06$$

Por su parte, el coste de combustible es:

$$v_c = 0,006 \times 860 = 5,16 \text{ pta/kWh}$$

Finalmente, el coste unitario será:

$$CU = \frac{5,16}{0,90 \times 0,95} + 0,06 \times 18 = 7,12 \text{ pta/kWh}$$

Ejemplo 18

Un edificio tiene una superficie envolvente de 920 m² y un volumen útil de 1.500 m³. Su coeficiente global de transmisión de calor es 0,92 kcal/h m² K, la tasa de ventilación es de 1,5 renovaciones cada hora y el aire interior se mantiene a una temperatura de 20 °C.

Calcular la temperatura base para los GD si las aportaciones por focos interiores se suponen debidas exclusivamente al consumo de electricidad, siendo la potencia instalada 10 kW y el factor de utilización 0,3, y se desprecian las aportaciones exteriores.

Solución

Para calcular la temperatura de referencia, obtenemos en primer lugar el factor de forma:

$$F = \frac{920}{1.500} = 0,613 \text{ m}^{-1}$$

117

En las condiciones interiores, el calor específico del aire es 0,24 kcal/kg K y su densidad 1,19 kg/m³ y las pérdidas por unidad de volumen:

$$G = 0,613 \times 0,92 + 1,5 \times 0,24 \times 1;19 = 0,992 \text{ kcal/m}^3 \text{ K}$$

y las aportaciones interiores:

$$q_{in} = \frac{10 \times 0,3 \times 860}{1.500} = 1,72 \text{ kcal/m}^3$$

Como las aportaciones exteriores se suponen nulas, la temperatura de referencia será:

$$t_r = 20 - \frac{1,72 + 0}{0,992} = 18,3 \text{ °C}$$

2.3. Aislamiento de tuberías y depósitos

Las tuberías y conductos que transportan fluidos a temperatura distinta de la ambiental deben aislarse térmicamente a fin de reducir pérdidas de calor o frío, evitar la formación de exceso de condensados en transporte de vapor, prever la formación de hielo en su interior, impedir la condensación de vapor en el exterior debido a la humedad del aire ambiente, etc.

2.3.1. Espesor mínimo de aislante en tuberías. Radio crítico y ahorro energético [3 y 15]

Aplicando la ecuación general para el cálculo del coeficiente de transmisión de calor por unidad de longitud en tuberías (véase el apartado 1.4) al caso de una tubería recubierta de un material aislante, se cumple que la resistencia superficial interior y la debida a la pared de la tubería son independientes del espesor del aislante, y podemos escribirlo como:

118

$$U_L = \frac{1}{Cte + R_a + R_{ex}}$$

La resistencia térmica debida al aislante crece con el espesor de aislante:

$$R_a = \frac{\ln\left(\dfrac{r_a}{r_t}\right)}{2\pi\lambda_a}$$

donde:

r$_t$ es el radio exterior de la tubería, que coincide con el interior del aislante.

r$_a$ es el radio exterior del aislante.

λ_a es la conductividad térmica del material aislante.

La resistencia térmica superficial exterior decrece con el espesor de aislante:

$$R_{ex} = \frac{1}{2\pi r_a h_{ex}}$$

donde:

h$_{ex}$ es el coeficiente de transmisión superficial exterior.

En consecuencia, la resistencia térmica del conjunto tubería y aislante alcanzará un valor mínimo para el cual tendremos un máximo de flujo de calor (mínimo aislamiento). El radio correspondiente se conoce como *radio crítico* y se obtiene imponiendo la condición:

$$\frac{d(R_a + R_{ex})}{dr_a} = 0$$

de donde se deduce fácilmente que el radio crítico es:

$$r_{crit} = \frac{\lambda_a}{h_{ex}}$$

y, en consecuencia, el espesor elegido debe corresponder a un radio exterior mayor que el crítico para que el aislamiento comporte un ahorro de pérdidas de calor.

Recordemos que el coeficiente exterior de transmisión engloba la radiación y la convección:

$$h_{ex} = h_r + h_c$$

y el calor disipado por unidad de tiempo en una tubería de longitud L es:

$$Q = L \, U_L \, (t_{in} - t_{ex})$$

Con la finalidad de respetar un ahorro energético mínimo, el reglamento de instalaciones IC-IT-19 establece unos espesores mínimos de aislante (véanse las tablas 2.5 y 2.6) referidos a un aislante de conductividad 0,040 W/m K medida a 0 °C.

Tabla 2.5.*

Diámetro D de la tubería en mm	Temperatura del fluido en °C			
	40 a 65	66 a 100	101 a 150	> 150
D ≤ 32	20	20	30	40
32 < D ≤ 50	20	30	40	40
50 < D ≤ 80	30	30	40	50
80 < D ≤ 125	30	40	50	50
125 < D	30	40	50	60

* Espesor mínimo de aislamiento térmico en mm.

Tabla 2.6.*

Diámetro D de la tubería en mm	Temperatura del fluido en °C			
	> –10	–10 a 0	0 a 10	> 10
D ≤ 32	40	30	20	20
32 < D ≤ 50	50	40	30	20
50 < D ≤ 80	50	40	30	30
80 < D ≤ 125	60	50	40	30
125 < D	60	50	40	30

* Espesor mínimo de aislamiento térmico en mm.

Cuando la conductividad del aislante utilizado sea distinta, la resistencia térmica del aislamiento debe ser la misma que se obtendría si se instalara un aislante de 0,040 W/m K. Este criterio es de aplicación general para cualquier superficie. Aplicado a una tubería, y según nuestra nomenclatura, resulta:

$$\frac{\ln\left(\dfrac{r_a}{r_t}\right)}{\lambda_a} = \frac{\ln\left(\dfrac{r_a'}{r_t}\right)}{\lambda_a'}$$

donde:

λ_a = 0,040 W/m K.
λ_a' es la conductividad del aislante utilizado.
r_t es el diámetro exterior de la tubería que coincide con el interior del aislante.
r_a = r_t + espesor, según las tablas 2.5 o 2.6.
r_a' es el radio exterior mínimo del aislante instalado.

Si las tuberías discurren por el exterior, el espesor será el deducido de la tabla 2.5 más 10 mm si se trata de un fluido caliente y el deducido de la tabla 2.6 más 20 mm si se trata de un fluido frío.

2.3.2. Cálculo del espesor para prevención de heladas [1, 3 y 17]

Cuando una tubería que contiene agua se encuentra en contacto con un ambiente a una temperatura inferior a 0 °C, tanto si está en circulación como si está estancada, puede enfriarse lo suficiente como para convertirse en hielo total o parcialmente. Dejando aparte los problemas derivados de la obturación de la tubería, debe tenerse en cuenta que el hielo es menos denso que el agua líquida y, en consecuencia, al congelarse el agua, tiene lugar una expansión que puede ocasionar rotura de tuberías y aparatos diversos, lo cual es necesario prever y evitar.

Interesa saber en qué condiciones hay peligro de helada y cuánto tiempo tardará en producirse. Para ello, vamos a estudiar dos casos: agua fluyente y agua estancada.

a) Agua fluyente

Para una tubería de longitud L por la que circula agua a una cierta temperatura y que está en contacto con un ambiente a temperatura menor, el calor cedido al ambiente viene dado por (Fig. 2.18):

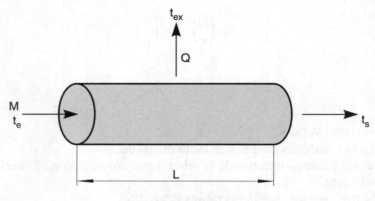

Figura 2.18.

$$Q = L \, U_L \, \Delta t_{ml}$$

donde:

$$\Delta t_{ml} = \frac{t_e - t_s}{\ln \dfrac{t_e - t_{ex}}{t_s - t_{ex}}}$$

t_e es la temperatura de entrada.

t_s es la temperatura de salida.

t_{ex} es la temperatura exterior.

Si se cumple que $t_e - t_s > t_s - t_{ex}$, puede aceptarse la expresión más sencilla:

$$Q = L \, U_L \left(\frac{t_s + t_e}{2} - t_{ex} \right)$$

Por otro lado, el calor, por unidad de tiempo, cedido por el agua al enfriarse, si no hay cambio de estado, es:

$$Q = M \, c_w \, (t_e - t_s)$$

122

donde:

M   es el caudal en masa por unidad de tiempo.
c_w es el calor específico del agua.

Al ser este calor igual al cedido al exterior, tras sencillas operaciones y utilizando su fórmula exacta, nos permite calcular la temperatura final de salida:

$$t_s = t_{ex} + (t_e - t_{ex})\, e^{-\frac{LU_L}{Mc_w}}$$

Habrá peligro de helada cuando esta temperatura sea menor que 0 °C.

Para una misma velocidad de circulación, cuanto mayor sea el diámetro de la tubería, mayor será el caudal circulante, y de la ecuación anterior se deduce que mayor será también la temperatura de salida. Dado que el rango de velocidades usuales no es muy amplio, en líneas generales, puede aceptarse que el riesgo de helada disminuye al aumentar el diámetro de la tubería.

Cuando el agua circula por el interior de una tubería, excepto si las condiciones son extremas o la tubería delgada o larga, no suele haber riesgo de helada.

Si hay riesgo de congelación puede calcularse el coeficiente de transmisión lineal mínimo necesario de la tubería con aislamiento térmico para evitar que el agua se congele:

$$U_L = \frac{Mc_w}{L} \ln \frac{t_e - t_{ex}}{t_s - t_{ex}}$$

donde:

$t_s = 0$ °C o la temperatura que se desee tener al final del tramo estudiado.

b) Agua estancada

El calor dq cedido por el fluido al exterior por metro lineal de tubería a lo largo de un intervalo de tiempo dθ viene dado por:

$$dq = U_L \, (t - t_{ex}) \, d\theta$$

que, por otro lado, y si no hay cambio de estado, será igual a:

$$dq = m_w \, c_w \, dt$$

Igualando e integrando, se llega a la expresión:

$$\theta = \frac{m_w c_w}{U_L} \ln \left(\frac{t_i - t_{ex}}{t_f - t_{ex}} \right)$$

donde:

m_w es la masa de agua por metro lineal de tubería.
c_w es su calor específico.
t_i es la temperatura inicial.
t_f es la temperatura final.
t_{ex} es la temperatura exterior.

El tiempo que tardará en alcanzar la temperatura de congelación del agua ($t_f = 0$) será:

$$\theta_0 = \frac{m_w c_w}{U_L} \ln \left(\frac{t_i - t_{ex}}{- t_{ex}} \right)$$

Si una vez alcanzada la temperatura de 0 °C el agua continúa perdiendo calor, se forma hielo y la temperatura se mantiene constante –suponiendo que el coeficiente lineal tampoco varíe–, el balance térmico extendido a lo largo del tiempo θ_1 que tarda en congelar parte del agua contenida en la tubería conduce a la igualdad:

$$U_L \, (0 - t_{ex}) \, \theta_1 = m_w \, y \, H$$

y, en consecuencia:

$$\theta_1 = \frac{m_w y H}{U_L \, (-t_{ex})}$$

donde:

y   es la fracción de agua que pasa a hielo en tanto por uno.
H   es el calor latente de solidificación.

Con lo cual el tiempo de congelación será:

$$\theta = \frac{m_w}{U_L}\left[c_w \ln\left(\frac{t_i - t_{ex}}{-t_{ex}}\right) + \frac{yH}{-t_{ex}}\right]$$

y comoquiera que:

$$m_w = \pi\, r_{in}^2\, \rho_w$$

$$U_L = 2\pi\, r_{ex}\, h_{ex}$$

finalmente, se llega a la expresión:

$$U_L = \frac{\rho_w}{h_{ex}}\frac{r_{in}^2}{2r_{ex}}\left[c_w \ln\left(\frac{t_i - t_{ex}}{-t_{ex}}\right) + \frac{yH}{-t_{ex}}\right]$$

Para obtener este resultado se ha despreciado el calor contenido en la pared de la tubería y se ha supuesto que el coeficiente de transmisión de calor se mantenía constante en la etapa de congelación. Estas dos aproximaciones conducen a tiempos más cortos que los que resultarían de un estudio más riguroso. En consecuencia, el método de cálculo indicado lleva a resultados más pesimistas en cuanto a la previsión de helada; es un cálculo conservativo.

La expresión anterior pone de manifiesto claramente que el riesgo de helada disminuye a medida que aumenta el diámetro de la tubería, como ya se apuntó antes.

Para evitar la formación de hielo en las tuberías, aparte de la calefacción de acompañamiento, existen dos posibles soluciones:

– Una de ellas consiste en dejar circular el caudal de agua suficiente (véase el ejemplo 21) para que la temperatura a la salida del tramo peligroso no alcance la de congelación. Esta solución es muy simple pero implica desperdicio de agua o energía, y saber, con la suficiente antelación, cuándo habrá riesgo de helada para dejar las válvulas abiertas o las bombas en funcionamiento.

– Otra solución consiste en aislar térmicamente la tubería a fin de reducir las pérdidas de calor hacia el exterior. Esta solución es más cara que la anterior con respecto al coste de instalación, pero presenta la ventaja de no desperdiciar agua ni energía, y no requiere ninguna actuación extraordinaria en caso de peligro de helada.

En este supuesto deberá calcularse el coeficiente lineal de transmisión requerido para que, en unas condiciones de cálculo determinadas, el intervalo de tiempo sea el deseado, y, a partir del mismo, calcular el espesor de aislante necesario.

$$U_L = \frac{m_w}{\theta} \left[c_w \ln \left(\frac{t_i - t_{ex}}{-t_{ex}} \right) + \frac{yH}{-t_{ex}} \right]$$

2.3.3. Prevención de condensaciones en tuberías frías [9 y 15]

Cuando una tubería conduce un fluido a una temperatura inferior a la del ambiente exterior, se encuentre o no aislada térmicamente, la superficie exterior de la misma estará a una temperatura inferior a la del aire en contacto y habrá condensación superficial siempre que esta temperatura sea igual o inferior a la del punto de rocío. El agua líquida puede difundirse a través del aislante, si lo hay, y llegar a la superficie metálica de la tubería.

Ya se ha dicho anteriormente que la conductividad de un aislante aumenta notablemente al humedecerse; si se produce condensación, el aislante se humedece y la conductividad aumenta. Al aumentar la conductividad, disminuye la temperatura superficial, y se condensa mayor cantidad de agua y el proceso se acelera. Cuando el agua llega a la superficie metálica, se encharca en los huecos que quedan entre el aislante y la tubería; su evaporación es difícil, puesto que está a baja temperatura y no se halla en contacto con el aire. Si la tubería no está debidamente protegida, se oxida y puede llegar a perforarse.

126

Para evitar esta situación, se recomienda adoptar una serie de precauciones, tales como:

- Pintar la tubería metálica, una vez limpia, con varias capas de pintura sellante y antioxidante.
- Evitar, en lo posible, huecos entre la tubería y el aislante.
- Evitar al máximo discontinuidades entre las distintas piezas de aislante, y, si hay cortes, realizar las uniones de forma tal que no queden canales por donde pueda pasar el agua condensada; a tal efecto, existen colas especiales para unir las distintas piezas y éstas con la tubería.
- Situar barreras de vapor en el exterior.
- Calcular un espesor de aislante tal que garantice que la temperatura superficial nunca será inferior a la del rocío del aire circundante en las condiciones más extremas posibles según dónde esté situada la tubería.

En este sentido, el reglamento IT-IC-19, para las tuberías que transportan fluidos a una temperatura inferior a la ambiente, además de establecer un espesor mínimo siguiendo criterios de ahorro energético, puntualiza lo siguiente: «Los espesores mínimos de esta tabla [se refiere a la 2.6 de este libro] expresan exclusivamente exigencias de ahorro energético. No obstante, el proyectista deberá determinar que el espesor del aislamiento es suficiente para evitar condensaciones superficiales».

Ya se ha visto en apartados anteriores que, para una tubería en condiciones normales, puede despreciarse la resistencia térmica debida al coeficiente de convección interior y la debida a la pared de la tubería. Así, se acepta que la resistencia térmica de una tubería aislada vale:

$$R = R_a + R_{ex}$$

Nótese que aceptar esta simplificación equivale a considerar que las resistencias despreciadas son nulas, lo cual conduce a una resistencia calculada menor que la real y, en consecuencia, a una temperatura superficial también menor que la real. El cálculo es conservativo, puesto que lleva a condiciones más pesimistas que las reales.

Por otro lado, llamando t_e a la temperatura superficial exterior, debe cumplirse que:

$$\frac{R_{ex}}{R} = \frac{t_{ex} - t_e}{t_{ex} - t_{in}}$$

de donde:

$$t_e = t_{ex} - (t_{ex} - t_{in})\frac{R_{ex}}{R}$$

Si se sustituyen las resistencias por su valor resulta:

$$t_e = t_{ex} - \frac{t_{ex} - t_{in}}{1 + \dfrac{h_{ex}r_e}{\lambda_a} \ln \dfrac{r_e}{r_i}}$$

Dado que, como ya se ha dicho anteriormente, la temperatura superficial debe ser superior a la del rocío del aire ambiente, tras sencillas transformaciones puede llegarse a la condición de no condensación:

$$r_e \ln \frac{r_e}{r_i} > \frac{\lambda_a}{h_{ex}} \frac{t_r - t_{in}}{t_{ex} - t_r}$$

donde:

t_r es la temperatura del rocío del aire en las condiciones ambiente que rodean la tubería estudiada y que puede obtenerse del diagrama psicrométrico (Fig. 2.7).

2.3.4. Espesor económico en tuberías [8 y 5]

El coste integral de la generación y distribución de calor desde la caldera o calentador hasta el punto de demanda, podemos considerarlo como resultado de los costes parciales siguientes:

128

*a) Coste por calor disipado al exterior a lo largo
de las tuberías de distribución*

De lo expuesto anteriormente se deduce que, para una tubería aislada, la resistencia térmica puede asimilarse a la del aislante sin cometer grandes errores. Así podemos admitir que el calor transmitido por unidad de longitud y unidad de tiempo viene dado aproximadamente por:

$$Q/L = 2\,\pi\,\frac{\lambda_a}{\ln\dfrac{r_a}{r_t}}\,(t_{ex} - t_{in})$$

donde:

λ_a es la conductividad térmica del aislante.

r_a es el radio exterior del aislante.

r_t es el radio exterior de la tubería, que coincide con el interior del aislante.

t_{in} es la temperatura media del fluido en el tramo considerado.

El coste de las pérdidas de calor por unidad de longitud y unidad de tiempo será:

$$C_1 = Q/L\,\, v_q$$

siendo v_q el coste unitario del calor demandado teniendo en cuenta el precio y extracostes del combustible, el rendimiento de la caldera, el bombeo, etc. Vendrá dado en pta/J si la conductividad se mide en W/m K o en pta/kcal si la conductividad se mide en kcal/h m K. En el primer caso, C_1 se obtiene en pta/m s, mientras que en el segundo el resultado se expresará en pta/m h.

b) Coste de la inversión

El volumen de aislante utilizado por unidad de longitud de tubería es:

$$V/L = \pi\,(r_a^2 - r_t^2)$$

con lo cual el coste del mismo en pta/m será:

$$C_2 = (V/L) \, v_a$$

donde:

v_a es el precio unitario del aislante (pta/m³); C_2 vendrá dado en pta/m.

La superficie por unidad de longitud que debe protegerse es:

$$S/L = 2 \, \pi \, r_a$$

con lo cual el coste por unidad de longitud en pta/m será:

$$C_3 = (S/L) \, v_p$$

donde:

v_a es el precio unitario de la protección del aislante (pta/m²).

El coste total de la instalación por unidad de longitud corresponderá a la suma de los dos anteriores más unos costes fijos por unidad de longitud independientes del espesor de la tubería C_4. (I vendrá dado en pta/m.)

$$I = C_2 + C_3 + C_4$$

c) *Costes anuales de mantenimiento y reposición del aislante*

Algunos autores admiten que pueden evaluarse en función del coste de instalación. Así:

$$C_5 = I \, f$$

siendo f un factor adimensional y menor que la unidad, y, en consecuencia, C_5 también vendrá dado en pta/m.

Así, el coste total a lo largo de la vida de la instalación será:

$$C = C_1 \, H \, N + I \, [(1 + i)^N + f \, N]$$

130

donde:

H es el tiempo que funciona la instalación a lo largo del año, midiéndose en s/año si λ_a se escribe en W/m K o h/año si λ_a se escribe en kcal/h m K.

N es el número de años de vida del aislamiento.

i es el interés anual, en tanto por uno, del coste total de la instalación.

El espesor óptimo será aquel que conduzca a un coste mínimo, o sea aquel que haga que la derivada del coste total respecto del radio exterior del aislante sea cero.

$$\frac{dC_1}{dr_a} \, H \, N + \frac{dI}{dr_a} \left[(1 + i)^N + f \, N \right] = 0$$

$$\frac{dC_1}{dr_a} = -2\pi \frac{\lambda_a}{\left[\ln \left(\dfrac{r_a}{r_t} \right) \right]^2 r_a} (t_{ex} - t_{in}) \, v_q$$

$$\frac{dI}{dr_a} = 2 \, \pi \, (r_a \, v_a + v_p)$$

Finalmente, se llega a la expresión:

$$r_a (r_a v_a + v_p) \left[\ln \left(\frac{r_a}{r_p} \right) \right]^2 = \frac{\lambda_a \, (t_{in} - t_{ex}) \, HN}{(1 + i)^N + fN} v_q$$

que permite averiguar el radio exterior del aislante y su espesor.

La norma alemana VDI 2055 [5], teniendo en cuenta la tasa de amortización del capital invertido en aislamiento, propone la expresión:

$$e = \sqrt{\frac{\lambda_a \, (t_{ex} - t_{in}) H v_p}{aj}}$$

donde:

λ_a es la conductividad del aislante en kcal/h m K.
v_q es el precio del calor en pta/10^3 kcal.
a   es la tasa de amortización en %.
j   es el aumento de coste del aislante por cada cm de incremento del espesor para la superficie considerada (gradiente de coste en pta/m^2 cm).
e   es el espesor en cm.

2.3.5. Aislamiento de depósitos [5 y 15]

Para el cálculo de aislamiento de depósitos, pueden utilizarse las mismas fórmulas que se han propuesto para el aislamiento de tuberías con agua estancada.

Si el depósito está aislado térmicamente podemos suponer, sin cometer grandes errores, que la resistencia térmica superficial interior es nula, con lo cual el cálculo del calor fugado será mayor que el real, y el espesor calculado de aislante resultará conservativo, puesto que se obtendrá un valor algo mayor del necesario.

a) Espesor mínimo de aislante

El reglamento, ya citado, IT.IC.19 establece que para generadores de calor, depósitos acumuladores e intercambiadores de calor, el espesor mínimo de aislante de conductividad 0,040 W/m K será de 50 mm si la superficie es superior a 2 m^2 y de 30 mm si es inferior. Para fluidos fríos son válidas las mismas exigencias.

b) Variación de la temperatura con el tiempo

Para depósitos acumuladores, tanto si el fluido almacenado es caliente como frío, nos interesa conocer la variación de la temperatura a lo largo del tiempo a fin de asegurar una temperatura de suministro determinada o para prever su congelación.

En el caso de un depósito aislado y completamente lleno que contenga un fluido estancado, tanto el caudal entrante como el saliente son nulos. Puede establecerse un balance análogo al del apartado 2.3.2 b:

$$dq = U\, S\, (t - t_{ex})\, d\theta$$

$$dq = V\, \rho_w\, c_w\, dt$$

donde:

U   es el coeficiente global de transmisión de calor.
S   es la superficie del depósito.
V   es el volumen del depósito.
ρ_w es la densidad del fluido.
c_w es el calor específico del fluido.

Se ha supuesto despreciable la capacidad calorífica de la pared del depósito y aislante, e igualmente que la temperatura del fluido interior es uniforme y no hay cambio de estado.

A partir de las ecuaciones anteriores, puede calcularse la temperatura final t_f al cabo de un cierto tiempo θ:

$$t_f = t_{ex} + (t_i - t_{ex})\, e^{-n\theta}$$

donde:

$$n = \frac{FU}{\rho_w c_w}$$

$F = \dfrac{S}{V}$ es el factor de forma del depósito.

Si interesa asegurar una temperatura determinada al final de un intervalo de tiempo θ, debemos calcular el espesor de aislante necesario. Para ello, partiendo de las ecuaciones diferenciales anteriores, puede llegarse a la expresión:

$$U = \frac{\rho_w c_w}{F\theta} \ln\left(\frac{t_i - t_{ex}}{t_f - t_{ex}}\right)$$

y, a partir del valor de U, calcular el espesor de aislante que es preciso.

133

c) Prevención de heladas

Para el cálculo de la prevención de heladas en depósitos, pueden utilizarse las ecuaciones establecidas para tuberías con agua estancada, pero teniendo en cuenta que el factor m_w/U_L debe sustituirse por su equivalente ρ_w/UF.

Es interesante hacer notar que el factor de forma afecta notablemente a la variación de la temperatura interior; en igualdad de condiciones, cuanto menor sea F mayor puede ser el coeficiente global U y menor el espesor de aislante.

2.3.6. Ejemplos de cálculo

Ejemplo 19

Una tubería de acero, de conductividad 58 W/m K, tiene un diámetro interior de 48 mm, un espesor de 2 mm y se protege con una capa de 20 mm de material aislante de conductividad 0,04 W/m K. Por su interior circula agua a 70 °C a una velocidad de 1,5 m/s; el aire exterior está a 10 °C y se mueve a una velocidad de 5 m/s.

Calcular el coeficiente lineal de transmisión de calor y el error que se comete al utilizar la fórmula simplificada.

Solución

En primer lugar, calculamos el coeficiente de convección interior:

número de Reynolds:

$$Re = \frac{vD\rho}{\mu} = \frac{1,5 \times 0,048 \times 977}{460 \times 10^{-6}} = 1,53 \times 10^5$$

número de Prandtl (obtenido de tablas o bien calculado):

$$Pr = 2,615$$

134

número de Nusselt:

$$Nu = 0,023 \times Re^{0,8} \times Pr^{0,3} =$$
$$= 0,023 \times (1,53 \times 105)^{0,8} \times 2,615^{0,3} = 431,2$$

coeficiente de convección:

$$h_{in} = \frac{Nu\lambda}{D} = \frac{431,2 \times 0,65}{0,048} = 5.840 \text{ W/m}^2 \text{ K}$$

término:

$$\frac{1}{r_1 h_{in}} = \frac{1}{0,024 \times 5.840} = 0,007 \text{ m K/W}$$

término:

$$\frac{\ln\left(\dfrac{r_2}{r_1}\right)}{\lambda_t} = \frac{\ln\left(\dfrac{26}{24}\right)}{58} = 0,001 \text{ m K/W}$$

término:

$$\frac{\ln\left(\dfrac{r_3}{r_2}\right)}{\lambda_a} = \frac{\ln\left(\dfrac{46}{26}\right)}{0,04} = 14,264 \text{ m K/W}$$

El coeficiente exterior de convección (véase el apartado 1.2) será:

$$h_c = 3,58 \times \frac{5^{0,8}}{0,092^{0,2}} = 20,91 \text{ kcal/h m}^2 \text{ K} = 24,31 \text{ W/m K}$$

El coeficiente exterior de radiación suponiendo que el entorno está a la misma temperatura del aire (10 °C) y que la superficie del aislante es 3 °C superior a la del aire (véase el apartado 1.3) resultará:

$$h_r = 56,7 \times (0,286 + 0,283) \times (0,286^2 + 0,283^2) =$$
$$= 5,22 \text{ W/m}^2 \text{ K}$$

El coeficiente global exterior será:

$$h_{ex} = 24,31 + 5,22 = 29,53 \text{ W/m}^2 \text{ K}$$

y el término:

$$\frac{1}{r_3 h_{ex}} = \frac{1}{0,046 \times 29,53} = 0,736 \text{ m K/W}$$

Comprobamos que la temperatura superficial supuesta del aislante es correcta:

$$\frac{\Delta t_{ex}}{0,736} = \frac{70 - 10}{0,007 + 0,001 + 14,264 + 0,736}$$

$$\Delta t_{ex} = 2,9 \text{ °C} \approx 3 \text{ °C}$$

Es correcta.

Coeficiente lineal, fórmula exacta:

$$U_L = \frac{2\pi}{0,007 + 0,001 + 14,264 + 0,736} = 0,4187 \text{ W/mK}$$

Coeficiente lineal, fórmula aproximada:

$$U_L = \frac{2\pi}{14,264 + 0,736} = 0,4189 \text{ W/mK}$$

El valor es, como ya se anunciaba, prácticamente igual al obtenido a través de un cálculo más preciso.

Ejemplo 20

Una tubería de 48 mm de diámetro exterior, que conduce agua caliente a 80 °C y discurre por el exterior, debe aislarse térmicamente. Para ello se dispone de una coquilla de espesor 40 mm y conductividad 0,044 W/m K a 0 °C.

Averiguar si este espesor cumple con el reglamento IT-IC-19.

Solución

Según la tabla 2.5, para un radio de 24 mm el espesor mínimo de aislante es 30 mm, más 10 mm por estar situada en el exterior. Aplicando la expresión anterior se obtiene:

$$\frac{\ln\left(24 + 30 + \dfrac{10}{24}\right)}{0,040} = \frac{\ln\left(\dfrac{r_3}{24}\right)}{0,044}$$

que una vez efectuada resulta:

$$r_3 = 70,7 \text{ mm}$$

con lo cual el espesor mínimo necesario, para este aislante, es:

$$e = 70,7 - 24 = 46,7 \text{ mm}$$

La coquilla disponible no cumple con el reglamento citado, puesto que el espesor 40 mm < 46,7 mm.

Ejemplo 21

Calcular si hay riesgo de congelación en una tubería de 160 mm de diámetro interior, por la que circula agua a la velocidad de 2 m/s, si se acepta un coeficiente lineal de transmisión de calor de 1,8 W/m K. La longitud del tramo estudiado es de 10 m, el agua llega a la temperatura de 4 °C y la temperatura exterior es de –10 °C.

Solución

Aceptando para el agua la densidad de 1.000 kg/m³ y calor específico 4,186 kJ/kg K, calculamos:

Caudal másico:

$$M = \pi \times 0,080^2 \times 2 \times 1.000 = 40,21 \text{ kg/s}$$

Exponente:

$$\frac{LU_L}{Mc_w} = \frac{10 \times 1,8}{40,21 \times 4,186} = 0,1069$$

Temperatura de salida:

$$t_s = -10 + [4 - (-10)] \times e^{-0,1069} = 2,58 \text{ °C}$$

No hay riesgo de congelación.

Ejemplo 22

Calcular el espesor de aislante mínimo necesario para prever el riesgo de congelación en una tubería de 54 mm de diámetro interior, 2 mm de pared y 10 m de longitud, por la que circula agua a la velocidad de 2 m/s. El coeficiente superficial exterior de calor es 12 W/m² K, la conductividad del aislante es 0,04 W/m K, el agua llega a la temperatura de 4 °C y la temperatura exterior es de –10 °C.

Solución

Aceptando para el agua la densidad de 1.000 kg/m³ y calor específico 4,186 kJ/kg K, calculamos:

Caudal másico:

$$M = \pi \times 0{,}027^2 \times 2 \times 1.000 = 4{,}58 \text{ kg/s}$$

Coeficiente lineal de transmisión de calor:

$$U_L = 2\,\pi\,r_{ex}\,h_{ex} = 2\,\pi \times 0{,}029 \times 12 = 2{,}19 \text{ W/m K}$$

Exponente:

$$\frac{LU_L}{Mc_w} = \frac{10 \times 2{,}19}{4{,}58 \times 4{,}186} = 1{,}141$$

Temperatura de salida:

$$t_s = -10 + [4 - (-10)] \times e^{-1{,}141} = -5{,}52 \text{ °C}$$

En consecuencia, hay riesgo de congelación, y el coeficiente lineal mínimo necesario será:

$$U_L = \frac{4{,}58 \times 4{,}186}{10} \times \ln\frac{4+10}{0+10} = 0{,}645 \text{ W/m K}$$

Para simplificar los cálculos supondremos que el coeficiente superficial exterior es el mismo tanto para la tubería aislada como desnuda. Según el apartado 2.3.1:

$$0{,}645 = \frac{2\pi}{\dfrac{\ln\left(\dfrac{r_3}{0{,}029}\right)}{0{,}040} + \dfrac{1}{r_3 \times 12}}$$

de donde obtenemos:

$$r_3 = 0{,}067 \text{ m}$$

139

y el espesor de aislante:

$$e = 67 - 29 = 38 \text{ mm}$$

Ejemplo 23

Supongamos que la fracción máxima aceptable de congelación de una tubería se cifra en un 50 % y, en las condiciones de cálculo, el coeficiente superficial de transmisión de calor es 15 W/m² K, la temperatura exterior –10 °C, la inicial del agua 10 °C, el radio interior 54 mm y el exterior 57 mm.

Calcular el tiempo de congelación.

Solución

Para el agua conocemos su densidad $\rho_w = 1.000$ kg/m³ y calor específico $c_w = 1$ kcal/kg K. Siguiendo con estas unidades el coeficiente superficial será:

$$h_{ex} = 15 \times 0,86 = 12,9 \text{ kcal/h m}^2 \text{ K}$$

$$U_L = 2 \pi \times 0,057 \times 12,9 = 4,62 \text{ kcal/h m K}$$

$$m_w = \pi \times (0,054)^2 \times 1 \times 1.000 = 9,16 \text{ kg}$$

Si sustituimos la ecuación con estos datos resulta:

$$\theta = \frac{m_w}{U_L} \left[c_w \ln \left(\frac{t_i - t_{ex}}{-t_{ex}} \right) + \frac{yH}{-t_{ex}} \right]$$

$$\theta = \frac{9,16}{4,62} \times \left[1 \times \ln \left(\frac{10 + 10}{10} \right) + \frac{0,5 \times 80}{10} \right]$$

$$\theta = 1,983 \times (0,693 + 4) = 1,37 + 7,93 = 9,3 \text{ h}$$

Tiempo que transcurre hasta alcanzar los 0 °C   = 1,4 h
Tiempo que transcurre hasta congelarse el 50 % del agua = 7,9 h
Tiempo total   = 9,3 h

Ejemplo 24

Con los datos del ejemplo 23, calcular el espesor de aislante de conductividad 0,035 kcal/h m K necesario para conseguir que el tiempo de congelación hasta el 50 % sea de 48 horas.

Solución

El término entre paréntesis es el mismo y vale:

$$\left[c_w \ln \left(\frac{t_i - t_{ex}}{-t_{ex}} \right) + \frac{yH}{-t_{ex}} \right] = 4,693 \text{ kcal/kg K}$$

y lo mismo ocurre con la masa de agua:

$$m_w = 9,16 \text{ kg}$$

Luego, el coeficiente lineal de transmisión de calor deberá ser:

$$U_L = \frac{9,16}{48} \times 4,693 = 0,896$$

y, procediendo de la misma forma que en el ejemplo 22:

$$0,896 = \frac{2\pi}{\dfrac{\ln \left(\dfrac{r_3}{0,045} \right)}{0,035} + \dfrac{1}{r_3 \times 17,4}}$$

obtenemos un radio exterior:

$$r_3 = 0,055 \text{ m}$$

El espesor mínimo necesario será de 10 mm.

Ejemplo 25

Una tubería de diámetro exterior 48 mm, que conduce una salmuera a
−10 °C, se aísla con una cubierta de conductividad 0,034 y espesor 36 mm.
En las condiciones de cálculo el aire exterior está a 28 °C y tiene una humedad relativa del 90 %, y el coeficiente de transmisión de calor exterior es de 10 W/m² K.

Averiguar si cumple con el reglamento IT-IC-19 y, en caso contrario,
cuál el espesor mínimo necesario si la tubería discurre por el interior de
un recinto.

Solución

En primer lugar, debemos calcular el espesor mínimo requerido teniendo en cuenta que la conductividad del aislante empleado no es la de
referencia. En la tabla 2.6, encontramos que el espesor mínimo exigido
es de 40 mm; así:

$$\frac{\ln\left(\frac{48 + 40}{48}\right)}{0,040} = \frac{\ln\left(\frac{48 + e}{48}\right)}{0,034}$$

de donde:

$$e = 32 \text{ mm} < 36 \text{ mm}$$

Por tanto, cumple con las condiciones de ahorro energético.

Ahora debe determinarse que el espesor es suficiente para evitar condensaciones superficiales. La temperatura superficial, aplicando la expresión dada en el apartado 2.3.3, es:

$$t_e = 28 - \frac{28 - (-10)}{1 + \frac{10 \times 0,084}{0,034} \times \ln\frac{84}{40}} = 26 \text{ °C}$$

142

Para las condiciones ambiente (28 °C y 90 % de humedad) la temperatura del rocío es 26,2 °C; en consecuencia, habrá condensación superficial y el espesor no será suficiente.

Ejemplo 26

Un depósito acumulador de agua cilíndrico y de fondo plano tiene un diámetro de 0,80 m y una altura de 1,5 m, y está situado en un recinto cuya temperatura ambiente es de 5 °C. Si la temperatura inicial del agua es de 50 °C y su aislamiento es el mínimo exigido por el reglamento IT.IC.19, calcular la temperatura final del agua al cabo de 8 horas.

Solución

Primero, debemos calcular la superficie del depósito para determinar el espesor de aislante:

$$S = 2\,\pi \times (0,8/2)^2 + 0,8 \times \pi \times 1,5 =$$
$$= 4,775 \text{ m}^2$$

Dado que la superficie es superior a 2 m², el espesor de aislante de conductividad 0,040 W/m K debe ser de 50 mm.

De acuerdo con lo expuesto en el apartado 2.3.5, debemos calcular:

el coeficiente global de transferencia de calor será, suponiendo que la única resistencia térmica significativa sea la debida al aislamiento:

$$U = 0,040/0,050 = 0,80 \text{ W/m}^2 \text{ K}$$

El volumen del depósito:

$$V = \pi \times (0,8/2)^2 \times 1,5 = 0,754 \text{ m}^3$$

Su factor de forma:

$$F = 4,775/0,745 = 6,333$$

El exponente:

$$n = \frac{6{,}333 \times 0{,}80}{1.000 \times 4.186} = 1{,}21 \times 10^{-6}$$

y, finalmente, la temperatura al cabo de 8 horas (28.800 segundos):

$$t_f = 5 + (50 - 5) \times e^{-0{,}03486} = 48{,}5 \; ^{\circ}C$$

2.4. Aislamiento de hornos [5, 11 y 13]

El aislamiento de hornos y calderas presenta un conjunto de rasgos distintivos entre los cuales podemos distinguir los siguientes: una diferencia de temperatura entre el interior y el exterior muy grande; la superficie interior de la pared sometida a condiciones de trabajo muy duras; el calor almacenado en la pared del horno puede ser considerable, y será conveniente, en algunos casos, que el peso de toda la estructura no sea excesivamente elevado.

Los materiales aislantes convencionales tienen una conductividad muy baja, pero no resisten altas temperaturas.

La lana de vidrio sólo puede utilizarse para temperaturas inferiores a los 700 °C, y los materiales que resisten altas temperaturas presentan conductividades más elevadas (véase la tabla 2.7). Esto hace que, a menudo, las paredes de los hornos se construyan combinando distintos materiales a fin de reducir las pérdidas de calor a un nivel razonable, conseguir un espesor de pared no excesivo, garantizar la duración de la estructura del horno, mantener la temperatura exterior dentro del nivel de seguridad para evitar riesgo de accidentes, etc.

Los materiales aislantes en cuanto a su temperatura de trabajo se clasifican en: refractarios, para temperaturas hasta los 1.400 °C; semirrefractarios, hasta 1.100 °C, y aislantes convencionales, hasta 700 °C.

Tabla 2.7. Conductividad de algunos materiales refractarios en kcal/h m K frente a la temperatura.

Temperatura °C	Silicoaluminoso ordinario	Silicoaluminoso comprimido	Sílice	Cromita
0	0,75		0,77	1,00
100	0,79	0,89	0,83	1,05
200	0,83	0,93	0,90	1,11
300	0,87	0,93	0,97	1,15
400	0,90	1,03	1,03	1,20
500	0,94	1,06	1,11	1,30
600	0,98	1,10	1,17	1,33
700	1,02	1,13	1,24	1,34
800	1,06	1,15	1,30	1,35
900	1,10	1,18	1,37	1,36
1.000	1,14	1,20	1,43	1,40
1.100	1,18	1,22	1,50	1,42
1.200	1,22		1,57	1,45
1.300	1,26		1,64	1,47
1.400	1,30		1,70	1,50

2.4.1. Distribución de los materiales y predimensionado de la pared

Se calcula la pared de un horno para que mantenga una diferencia de temperaturas determinada entre la interior y la exterior, y para que limite las pérdidas de calor por transmisión a un nivel razonable. Así, puede averiguarse la resistencia térmica por unidad de superficie de la pared, puesto que se cumplirá:

145

$$R = \frac{S(t_{in} - t_{ex})}{Qf}$$

donde:

S   es la superficie de cálculo del horno.
Q   es la potencia térmica del quemador del horno.
f   es el tanto por uno de pérdidas máximas toleradas en transmisión.

Si se representa gráficamente la relación entre la resistencia térmica y la temperatura (Fig. 2.19), puede dividirse el intervalo de temperaturas $(t_{in} - t_{ex})$ en intervalos parciales adecuados a la clase de material aislante. Una vez conocida la resistencia térmica y el material, se calcula el espesor necesario.

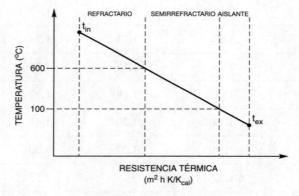

Figura 2.19.

Para averiguar la superficie media de cálculo, el *Manual de aislamiento industrial*, de Roclaine, admite un método de cálculo simplificado aplicable a hornos de forma paralelepípeda y de espesor de pared uniforme e igual en todas las caras. Distingue los casos siguientes:

Si para las tres dimensiones $l_i > 2e$

$$S = \frac{S_{in} + S_{ex}}{2}$$

146

Si para una o más dimensiones $\dfrac{e}{5} < l_i < 2e$

$$S = S_{in} + 0,54\ e\ \Sigma l_i + 1,2\ e$$

Si se cumple para 2 dimensiones $l_i > \dfrac{e}{5}$ y para una $l_i < \dfrac{e}{5}$

$$S = S_{in} + 0,465\ e\ \Sigma l_i$$

Si se cumple para una dimensión $l_i > \dfrac{e}{5}$ y para dos $l_i < \dfrac{e}{5}$

$$S = \dfrac{2,781_{max}e}{\log \dfrac{S_{ex}}{S_{in}}}$$

donde:

S_{in} es la superficie interior en m².
S_{ex} es la superficie exterior en m².
l_i es la longitud interior de una arista en m.
l_{max} es la longitud interior de la arista más larga en m.
e   es el espesor en m.

2.4.2. Cálculo del calor disipado a través de la pared en régimen estacionario

Una vez definida la pared del horno y conociendo la temperatura de la superficie interior y del ambiente exterior, pueden calcularse las pérdidas de calor a través de las paredes mediante la ecuación:

$$q_p = \beta\ \dfrac{t_{in} - t_{ex}}{R_p}$$

donde:

q_p es el calor perdido por unidad de superficie en W/m².

β es un coeficiente que depende de R_p y de la temperatura interior t_{in} (Fig. 2.20).

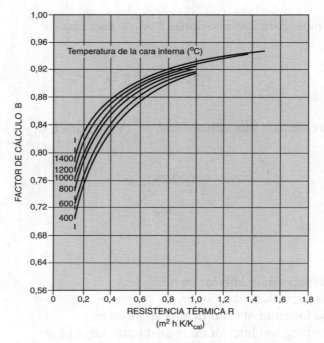

Figura 2.20.

$R_p = \Sigma \dfrac{e_i}{\lambda_i}$ es la resistencia térmica de la pared supuesta plana e infinita, sin tener en cuenta las resistencias superficiales interior y exterior, en m² K/W.

Para tener en cuenta el efecto de las aristas y vértices, se determina un factor de corrección en función de la esbeltez del horno, la cual se define como:

$$E = \frac{a - 2_e}{2_e}$$

148

donde:

a es la menor dimensión exterior del horno en m.
e es el espesor total de la pared en m.

La expresión permite calcular el factor de corrección para las aristas F_a y el factor de corrección para los vértices F_v a partir de la tabla 2.8.

Para calcular el calor disipado, la superficie de cálculo se divide en tres conceptos:

Superficie asociada a las aristas:

$$S_a = 8\ e\ (1+E)\ (l+b+h) - 48\ e^2\ (1+E)^2$$

Superficie asociada a los vértices:

$$S_v = 24\ e^2\ (1+E)^2$$

Superficie asociada a las paredes:

$$S_p = 2\ (l\ b + l\ h + b\ h) - (S_a + S_v)$$

donde:

l   es la longitud exterior del horno en m.
h   es la altura exterior del horno en m.
b   es la anchura exterior del horno en m.

El calor total disipado por unidad de tiempo en W será:

$$Q = (F_a\ S_a + F_v\ S_v + S_p)\ q_p$$

2.4.3. Cálculo de la temperatura superficial exterior

El calor disipado a través de la pared viene dado por (véase el apartado 1.4.2):

$$q_p = h\ (t_e - t_{ex})$$

149

Tabla 2.8. Factores de corrección de arista y vértice.

β	Factor de corrección de arista F_a				Factor de corrección de vértice F_v			
	E = 0,25	E = 0,50	E = 1,00	E = 2,00	E = 0,25	E = 0,50	E = 1,00	E = 2,00
0,5	0,662	0,755	0,838	0,902	0,333	0,500	0,667	0,800
0,6	0,621	0,720	0,810	0,883	0,294	0,455	0,625	0,770
0,7	0,583	0,687	0,785	0,868	0,263	0,416	0,588	0,740
0,8	0,551	0,658	0,762	0,852	0,238	0,384	0,555	0,715
0,9	0,521	0,631	0,740	0,838	0,217	0,357	0,526	0,690
1,0	0,495	0,605	0,720	0,822	0,200	0,333	0,500	0,667

donde:

h es el coeficiente global de convección-radiación de la superficie exterior del horno.

t_e es la temperatura superficial exterior de la pared.

t_{ex} es la temperatura ambiental exterior.

Si se supone que toda la superficie está a la misma temperatura y se acepta como válido el valor ya calculado de q_p, puede calcularse una temperatura de pared exterior media aproximada:

$$t_e = t_{ex} + \frac{q_p}{h}$$

Para calcular el valor de h, pueden utilizarse las expresiones ya expuestas en los apartados 1.2, 1.3 y 1.4.2, o bien las más sencillas, que se exponen a continuación y son válidas sólo para los casos indicados [5]:

Muro de obra de fábrica horizontal:

$$h = 8,1 + 0,049 \, t_e$$

Muro de obra de fábrica vertical:

$$h = 6,1 + 0,049 \, t_e$$

Pared color aluminio horizontal:

$$h = 7,4 + 0,034 \, t_e$$

Pared color aluminio vertical:

$$h = 5,4 + 0,034 \, t_e$$

La temperatura se expresa en grados centígrados y el coeficiente global viene dado en kcal/h m² K.

2.4.4. Ejemplos de cálculo

Ejemplo 27

Un horno tiene las siguientes dimensiones interiores: ancho 1,6 m, largo 3 m y alto 0,9 m. La potencia térmica del quemador en régimen es de 1.000 kW, la temperatura interior de trabajo 1.100 °C y la temperatura ambiente exterior de cálculo 15 °C.

Escoger los materiales que constituyen la pared del horno y su espesor si se desea que las pérdidas de calor por transmisión a través de las paredes no superen el 10 % de la potencia del quemador.

Solución

La superficie interior del horno es:

$$S_{in} = 0,9 \times (1,6+3+1,6+3) + 2 \times (1,6 \times 3) = 17,88 \text{ m}^2$$

Si inicialmente suponemos un espesor de 0,5 m, según el apartado 2.4.1, se cumple que $0,9 < 2 \times 0,5$, y todas ellas son mayores que 0,5/ 5. La superficie media de cálculo será:

$$S = 17,88 + 0,54 \times 0,5 \times 22 + 1,2 \times 0,5 = 24,42 \text{ m}^2$$

con lo cual la resistencia térmica de la pared por unidad de superficie debe ser:

$$R = \frac{24,42 \times (1.100 - 15)}{250.000 \times 0,10} = 1,060 \text{ m}^2 \text{ K/W}$$

Escogemos ladrillo refractario silicoaluminoso ordinario para la capa interior que trabajará entre 1.000 y 600 °C, con una conductividad media aproximada 1,12 kcal/h m K (1,28 W/m K). Su resistencia térmica debe ser (véase el apartado 1.1.1):

$$R_1 = 1,060 \times \frac{1.100 - 700}{1.100 - 15} = 0,391 \text{ m}^2 \text{ K/W}$$

y su espesor:

$$e_1 = 0,391 \times 1,12 = 0,350 \text{ m}$$

Para la capa exterior de lana mineral de conductividad media 0,11 kcal/h m K (0,13 W/m K), que trabajará entre 700 y 15 °C, la resistencia térmica debe ser:

$$R_2 = 1,060 - 0,391 = 0,669 \text{ m}^2 \text{ K/W}$$

y su espesor:

$$e_2 = 0,669 \times 0,13 = 0,087 \text{ m}$$

Por tanto, el espesor total es de 0,478 m, que casi coincide con el supuesto, y si se deseara una mayor aproximación, podría ensayarse otro espesor, por ejemplo 0,490 m, y rehacer el cálculo.

Ejemplo 28

Un horno tiene una pared compuesta por un material refractario de conductividad 1,40 W/m K y espesor 150 mm, y un aislante convencional de conductividad 0,16 W/m K y espesor 130 mm. La temperatura de trabajo es de 1.200 °C y la de cálculo para el ambiente exterior de 15 °C. Las dimensiones exteriores son las siguientes: altura 1,5 m, anchura 3 m y longitud 3,5 m.

Calcular las pérdidas de calor a través de las paredes utilizando el método del apartado 2.4.2.

Solución

En primer lugar, debemos calcular la resistencia térmica de la pared:

$$R_p = \frac{0,150}{1,40} + \frac{0,130}{0,16} = 0,920 \text{ m}^2 \text{ K/W} = 1,069 \text{ m}^2 \text{ h K/cal}$$

De la gráfica de la figura 2.20, obtenemos el valor $\beta = 0,931$, con lo que las pérdidas por unidad de superficie plana son:

153

El espesor total de aislante:

$$e = 0,150 + 0,130 = 0,280 \text{ m}$$

y la esbeltez del horno:

$$E = \frac{1,5 - 2 \times 0,280}{2 \times 0,280} = 1,68$$

Ahora ya estamos en condiciones de calcular las superficies asociadas:

Superficie asociada a las aristas:

$$S_a = 8 \times 0,28 \times 2,68 \times 8 - 48 \times 0,28^2 \times 2,68^2 = 21,0 \text{ m}^2$$

Superficie asociada a los vértices:

$$S_v = 24 \times 0,28^2 \times 2,68^2 = 13,51 \text{ m}^2$$

Superficie asociada a las paredes:

$$S_p = 2 \times (4,5 + 5,25 + 10,5) - (21,0 + 13,51) = 5,99 \text{ m}^2$$

Para conocer las pérdidas de calor, calculamos los coeficientes de arista y vértices interpolando en la tabla 2.8. Obtenemos $F_a = 0,801$ y $F_v = 0,630$ y, finalmente:

$$Q = (0,801 \times 21,0 + 0,630 \times 13,51 + 5,99) \times 1,20 = 37,6 \text{ kW}$$

3

PROGRAMA DE CÁLCULO

Para acceder al programa puede utilizar directamente el disquete que se le suministra, o bien instalarlo en el disco duro.

En el primer caso, inserte el disquete en la disquetera (A: o B:). Sitúese en la unidad deseada y teclee simplemente CEACAT. Inmediatamente, aparecerá la primera pantalla. Debe limitarse a seguir las instrucciones y contestar las preguntas que vayan apareciendo.

Si desea instalar el programa en el disco duro (unidad C:), es aconsejable crear un subdirectorio al que, por ejemplo, puede llamar CEACAT, y copiar en él el programa CEACAT.EXE, que está en el disquete que se suministra. Para ejecutar el programa desde el disco duro, basta con situarse en el subdirectorio ya creado y teclear CEACAT.

La introducción de datos está protegida por filtros que impiden la aceptación de cantidades ilógicas o no previstas.

Al final de cada bloque o proceso de cálculo aparece la pregunta «Recalcular S/N», que permite regresar al principio del mismo y modificar los datos de partida.

El mensaje S/N sirve para admitir los datos introducidos.

3.1. Qué puede hacer el programa CEACAT

El programa permite calcular el aislamiento térmico y se divide en los bloques que se desarrollan seguidamente.

Pared plana simple

Este bloque permite calcular el coeficiente de transmisión de calor de una pared plana infinita constituida por una sola capa, y el calor transferido, por unidad de superficie, para una diferencia de temperatura entre interior y exterior determinada.

Dado que en la construcción, éste es el caso de las superficies vidriadas, también averigua si se produce condensación en la superficie y calcula las condiciones higrotérmicas necesarias para evitarla. Si dentro del recinto se genera vapor de agua, calcula la tasa de renovación mínima de aire exterior que es precisa para eliminar condensaciones superficiales.

Pared plana compuesta

Este bloque permite calcular el coeficiente de transmisión de calor, su resistividad al paso de vapor de agua y el calor transmitido por unidad de superficie a través de una pared plana compuesta con un máximo de cinco capas distintas, para unas condiciones interior y exterior conocidas.

Teniendo en cuenta su aplicación en la construcción, nos indica si debido a las condiciones higrotérmicas interior y exterior, se producen condensaciones superficiales o en el seno de la pared. Mediante tanteo, calcula la composición de la pared que evitaría la formación de condensados.

Se presenta una tabla de la variación de la temperatura, la presión de vapor y la presión de vapor saturado a través de la pared. De este modo, podemos saber dónde condensa vapor si es que lo hace.

Tubería caliente

Este bloque está formado por cuatro opciones distintas: conformidad del espesor de aislante con las exigencias de ahorro energético, cálculo

158

de las pérdidas de calor por unidad de superficie para un espesor conocido de aislante, cálculo del espesor para conseguir unas pérdidas deseadas y cálculo del espesor económico.

Se supone que la resistencia térmica superficial interior y la de la pared de la tubería son despreciables frente a la del aislamiento y superficial exterior. Si se conoce el coeficiente global convección-radiación superficial exterior puede introducirse directamente o, en caso contrario, dejar que lo calcule el programa.

Tubería fría

Este bloque dispone de las opciones siguientes: conformidad del espesor de aislante con las exigencias de ahorro energético, cálculo de las pérdidas de *frío* por unidad de longitud y cálculo de condensación superficial de vapor de agua en función de la temperatura del fluido frío y de las condiciones higrotérmicas del ambiente exterior.

Como en el caso anterior, se supone que la resistencia térmica superficial interior y la de la pared de la tubería son despreciables frente a la del aislamiento y superficial exterior.

Prevención de helada

Dispone de las opciones siguientes: cálculo de la temperatura final en una tubería con agua fluyente, cálculo del tiempo de congelación para una tubería con agua estancada y lo mismo para un depósito.

Mediante la primera opción puede calcularse el espesor necesario de aislante para evitar la congelación del agua circulante para una temperatura exterior determinada.

Las opciones segunda y tercera permiten calcular el tiempo que tarda en iniciarse la congelación del agua estancada contenida en una tubería o depósito, y el tiempo que tarda en helarse una fracción admitida como máxima tolerable. Por tanteo puede obtenerse el espesor necesario para un lapso de tiempo deseado.

Como en los casos anteriores, se supone despreciable la resistencia térmica superficial interior y la de la pared de la tubería. También se desprecia la capacidad térmica de la pared de la tubería y del aislamiento, lo cual hace que el tiempo calculado sea algo menor que el real y que la diferencia entre ambos resulte mayor para tuberías delgadas que para tuberías de gran diámetro,

Los depósitos se suponen de forma cilíndrica y fondos planos, aproximadamente. Cualquier otro depósito puede asimilarse a este modelo si se procura que su volumen y superficie sean análogos al depósito estudiado (igual factor de forma).

Aislamiento de hornos

Este bloque permite calcular el calor disipado a través de la pared de un horno si se conoce la estructura, con un máximo de tres capas distintas, y las temperaturas interior y exterior del mismo.

Una vez fijada la resistencia térmica deseada de la pared, calculada como si fuera una pared plana compuesta, y en función del salto térmico en cada capa, el programa calcula la resistencia térmica. El usuario escoge la conductividad y, como resultado, se obtiene el espesor. El valor elegido para la conductividad de cada capa debe ser el valor medio del intervalo de temperaturas considerado.

En principio se ha procurado, en todos los bloques, ajustarse al sistema de unidades SI y, dentro del mismo, utilizar los múltiplos o submúltiplos que se han creído más cómodos o usuales.

3.2. Forma de utilizar el programa

La forma de utilizar el programa es sumamente sencilla, y las sucesivas pantallas son altamente explicativas. En consecuencia, no parece necesario dedicar espacio y tiempo para la explicación detallada.

Sin embargo, los ejemplos de cálculo que se incluyen a continuación aclararán cualquier duda al respecto. La mayoría de los datos numéricos de estos ejemplos ya están incluidos en el programa y basta seguirlos a ciegas para familiarizarse con la utilización del mismo.

3.3. Ejemplos de cálculo

3.3.1. Cálculo de una pared plana simple (opción 1)

Se desea calcular el coeficiente de transmisión de calor de una superficie de vidrio, el calor transferido por unidad de superficie, saber si se producirán condensaciones y, en caso afirmativo, las condiciones que deberemos mantener en el interior para que éstas no se produzcan.

INTRODUCCIÓN DE DATOS:

Coeficiente de conducción $(W/m^2 K)$ 5,4

		Interior	Exterior
Temperatura	(°C)	25	−5
Humedad relativa	(%)	60	90
Coeficiente global convección-radiación $(W/m^2 K)$		9	17

RESULTADOS OBTENIDOS:

Coeficiente de transmisión del cerramiento U $(W/m^2 K)$ 2,82
Calor transferido por unidad de superficie Q/S (W/m^2) 84,48

		Ambiente interior	Superficie interior	Superficie exterior	Ambiente exterior
Temperatura	(°C)	25,0	15,6	0,0	−5,0
Presión de vapor	(mbar)	18,80	17,85	6,12	3,64

Sí condensa, puesto que la presión de vapor saturado a la temperatura de la superficie interior es menor que la presión de vapor del ambiente interior (17,85 < 18,80).

El programa nos indica que no condensará cuando las condiciones interiores sean:

25 °C y 57 % (mantiene la temperatura fija)
16,4 °C y 60 % (mantiene la humedad fija)

161

Se opta por recalcular (**Salir/Recalc./Aire vent./ Opción 1**). El cursor vuelve al principio y modificamos la humedad relativa interior, 56 % en lugar de 60 %, y dejamos lo demás fijo.

En estas nuevas condiciones, se obtienen los resultados siguientes:

		Ambiente interior	Superficie interior	Superficie exterior	Ambiente exterior
Temperatura	(°C)	25,0	15,6	0,0	–5,0
Presión de vapor	(mbar)	17,55	17,85	6,12	3,64

No condensa, puesto que la presión de vapor saturado a la temperatura de la superficie interior es mayor que la presión de vapor del ambiente interior (17,85 > 17,55).

Ahora se opta por calcular el aire de ventilación exterior necesario para mantener estas condiciones interiores (**Salir/Recalc./Aire vent./ Opción 2**). Aparece una nueva pantalla en la que nos piden los datos siguientes:

INTRODUCCIÓN DE DATOS:

Volumen del local	(m³)	1.000
Aporte interior de vapor	(kg/h)	50

RESULTADOS OBTENIDOS:

	Temperatura (°C)	Humedad relativa (%)	Humedad absoluta (g/kg)
Interior	25,0	56,0	11,0
Exterior	–5,0	90,0	2,2

Caudal másico de aire seco	(kg/h)	5,73
Caudal volúmico de aire seco interior	(m³/h)	4,99
Tasa de renovación	(volumen/h)	0,00

3.3.2. Cálculo de una pared plana compuesta (opción 2)

Se desea calcular el coeficiente de transmisión de calor de una pared compuesta, el calor transferido por unidad de superficie, saber si se producirán condensaciones y, en caso afirmativo, cómo debe modificarse la estructura para evitarlas.

INTRODUCCIÓN DE DATOS:

Número de capas del cerramiento (máx = 5) 4

Capa n.°	Espesor (m)	Conductividad (W/m K)	Resistividad al paso de vapor (MN s/g m)
1	0,015	0,300	60
2	0,040	0,490	30
3	0,050	0,023	96
4	0,090	0,490	30

			Interior	Exterior
Coeficiente global convección-radiación	(W/m^2 K)		9	17
Temperatura	(°C)		20	−5
Humedad relativa	(%)		60	90

RESULTADOS OBTENIDOS:

Coeficiente de transmisión del cerramiento	U	(W/m^2 K)	0,38
Calor transferido por unidad de superficie	Q/S	(W/m^2)	9,40
Resistencia al paso de vapor de agua	R	(MN s/g m)	9,60

		Ambiente interior	1	2	3	4	Ambiente exterior
Temperatura	(°C)	20,0	19,0	18,5	17,7	−2,7	−4,4	−5,0
Presión de vapor	(mbar)	14,03	14,03	13,05	11,76	6,56	3,64	3,64
P. vapor saturado	(mbar)	23,38	21,98	21,36	20,38	4,92	4,25	4,05

Sí condensa, puesto que en la superficie de contacto entre las capas 3 y 4 la presión de vapor es mayor que la de vapor saturado correspondiente a su temperatura (6,56 > 4,92); hay condensación interna.

Ahora escogemos **Recalcular** y modificamos la estructura de la pared manteniendo la misma transmisión de calor y espesor.

163

No condensa, puesto que la presión de vapor en toda la pared es inferior a la correspondiente de saturación.

3.3.3. Cumplimiento de la IT.IC. para el aislamiento de una tubería caliente (opción 3,1)

El problema consiste en determinar el espesor de aislante necesario para cumplir con las exigencias del Reglamento IT.IC. si el material utilizado tiene una conductividad de 0,035 W/m^2 K y la tubería discurre por un local no calefactado.

INTRODUCCIÓN DE DATOS:

Primera pantalla: Diámetro exterior de la tubería   (mm)   40
Temperatura exterior ambiente   (°C)   15
Temperatura interior del fluido   (°C)   90

Segunda pantalla: Conductividad térmica del aislante   (W/m K)   0,035
Situada en local no calefactado   (Sí=1 No=0)   0

RESULTADOS:

Espesor mínimo para conductividad de 0,040 W/m K   40
Espesor mínimo para conductividad real   32

3.3.4. Cálculo del calor disipado en una tubería caliente (opción 3,2)

El problema consiste en calcular el calor disipado por unidad de longitud de tubería para un espesor determinado; se conoce la temperatura interior del fluido y la exterior ambiente.

INTRODUCCIÓN DE DATOS:

Primera pantalla: Diámetro exterior de la tubería (mm)   40
Temperatura exterior ambiente   (°C)   15
Temperatura interior del fluido   (°C)   90

Segunda pantalla: Conoce el coeficiente global superficial (Sí=1 No=0)   0
Espesor de aislante   (mm)   40
Conductividad térmica del aislante   (W/m K)   0,035

Está situada en el exterior   (Sí=1 No=0)   0
Velocidad del aire   (m/s)
Emisividad de la superficie del aislamiento   0,8

RESULTADOS:

Coeficiente de convección   (W/m^2 K)   3,31
Coeficiente de radiación   (W/m^2 K)   4,45
Coeficiente global superficial   (W/m^2 K)   7,76
Calor por unidad de longitud   (W/m)   14,05

166

3.3.5. Cálculo del espesor de aislante necesario para un calor disipado deseado (opción 3,3)

El problema consiste en calcular el espesor de aislante que debe instalarse para conseguir que el calor disipado por unidad de longitud de tubería sea el deseado; se conocen la temperatura interior del fluido y la exterior ambiente.

INTRODUCCIÓN DE DATOS:

Primera pantalla: Diámetro exterior de la tubería (mm) 40
  Temperatura exterior ambiente (°C) 15
  Temperatura interior del fluido (°C) 90

Segunda pantalla: Conoce el coeficiente global superficial (Sí=1 No=0) 0
  Calor por unidad de longitud (W/m) 20
  Conductividad térmica del aislante (W/m K) 0,035

  Está situada en el exterior (Sí=1 No=0) 1
  Velocidad del aire (m/s) 4
  Emisividad de la superficie del aislamiento 0,8

RESULTADOS:

Coeficiente de convección (W/m² K) 20,50
Coeficiente de radiación (W/m² K) 4,41
Coeficiente global superficial (W/m² K) 24,91
Espesor del aislante (mm) 24

3.3.6. Cálculo del espesor económico (opción 3,4)

Se desea calcular el espesor de aislante óptimo económico para que el coste sea mínimo para una tubería de un diámetro determinado; se conocen las temperaturas interior del fluido y del ambiente exterior.

Como que normalmente resultan espesores considerables, sólo se tiene en consideración la resistencia térmica del aislamiento.

```
                    INTRODUCCIÓN DE DATOS:

Primera pantalla:  Diámetro exterior de la tubería   (mm)        40
                   Temperatura exterior ambiente     (°C)        15
                   Temperatura interior del fluido   (°C)        90

Segunda pantalla:  Conductividad térmica del aislante   (W/m K)      0,04
                   Coste del calor                 (pta/te)         7,00
                   Coste del aislante          (miles pta/m³)        250
                   Coste de la protección      (miles pta/m²)         10
                   Coste de mantenimiento              (%)            5
                   Tasa de interés                     (%)           5,0
                   Horas/año de funcionamiento     (h/año)         3.000
                   Años de vida de la instalación     (años)          20


                         RESULTADOS:

                   Espesor del aislante               (mm)           27
```

3.3.7. Cumplimiento de la IT.IC. para el aislamiento de una tubería fría (opción 4,1)

El problema consiste en determinar el espesor de aislante necesario para cumplir con las exigencias del Reglamento IT.IC. si el material utilizado tiene una conductividad de 0,043 W/m² K y la tubería discurre por un local no calefactado.

INTRODUCCIÓN DE DATOS:

Primera pantalla: Diámetro exterior de la tubería   (mm)   40
Temperatura exterior ambiente   (°C)   35
Temperatura interior del fluido   (°C)   −20

Segunda pantalla: Conductividad térmica del aislante   (W/m K)   0,043
Situada en local calefactado   (Sí=1 No=0)   0

RESULTADOS:

Espesor mínimo para conductividad de 0,040 W/m K   70
Espesor mínimo para conductividad real   81

3.3.8. Cálculo del calor disipado en una tubería fría (opción 4,2)

El problema consiste en calcular el calor disipado por unidad de longitud de tubería para un espesor determinado conociendo el coeficiente global de convección-radiación para la superficie exterior, la temperatura interior del fluido y la exterior ambiente.

INTRODUCCIÓN DE DATOS:

Primera pantalla:
- Diámetro exterior de la tubería (mm)   40
- Temperatura exterior ambiente (°C)   35
- Temperatura interior del fluido (°C)   −20

Segunda pantalla:
- Espesor del aislante (mm)   40
- Conductividad térmica del aislante (W/m K)   0,043
- Coeficiente global superficial (W/m^2 K)   15,00

RESULTADOS:

Calor por unidad de longitud (W/m)   12,96

3.3.9. Cálculo de condensación superficial en una tubería fría (opción 4,3)

El problema consiste en averiguar si, para unas condiciones de cálculo determinadas, se producirá condensación de vapor sobre la superficie del aislante en contacto con el ambiente.

INTRODUCCIÓN DE DATOS:

Primera pantalla:	Diámetro exterior de la tubería	(mm)	40
	Temperatura exterior ambiente	(°C)	35
	Temperatura interior del fluido	(°C)	–20

Segunda pantalla:	Espesor del aislante	(mm)	40
	Conductividad térmica del aislante	(W/m K)	0,043
	Coeficiente global superficial	(W/m² K)	15,00
	Humedad relativa exterior	(%)	80

RESULTADOS:

Calor por unidad de longitud		(W/m)	12,96
Superficie exterior:	temperatura	(°C)	33
	presión de vapor	(mbar)	49,67
Ambiente exterior:	temperatura	(°C)	35
	presión de vapor	(mbar)	45,23

El espesor de aislante es correcto y no hay condensación, ya que la presión de vapor superficial es mayor que la del ambiente (49,67 > 45,23).

3.3.10. Prevención de helada en una tubería con agua circulante (opción 5,1)

El problema consiste en averiguar si el agua que circula por un tramo de tubería de longitud conocida y que está en contacto con un ambiente a una temperatura conocida congela o no, y, en caso afirmativo, calcular el espesor de aislante necesario para que esto no ocurra.

INTRODUCCIÓN DE DATOS:

Diámetro interior de la tubería	(mm)	40
Diámetro exterior de la tubería	(mm)	44
Longitud de la tubería	(m)	10
Espesor de aislante	(mm)	0
Conductividad térmica del aislante	(W/m K)	0,040
Coeficiente global superficial	(W/m^2 K)	16,6
Caudal de agua	(l/s)	2
Temperatura de entrada	(°C)	10
Temperatura exterior	(°C)	−10

RESULTADOS:

Temperatura final	(°C)	−8,7

El aislamiento es insuficiente, puesto que el agua congela (−8,7 < 0).

Si **se recalcula**, pero con un espesor de 10 mm obtenemos una temperatura final de 0,3 °C, con lo cual el agua no congela y el aislamiento es suficiente.

3.3.11. Prevención de helada en una tubería con agua estancada (opción 5,2).

El problema consiste en averiguar el tiempo que tardará en congelar una fracción determinada de agua en reposo, contenida en una tubería en contacto con un ambiente a menos de 0 °C.

INTRODUCCIÓN DE DATOS:

Diámetro interior de la tubería	(mm)	40
Diámetro exterior de la tubería	(mm)	44
Espesor de aislante	(mm)	0
Conductividad térmica del aislante	(W/m K)	0,040
Coeficiente global superficial	(W/m² K)	16,6
Temperatura inicial	(°C)	10
Temperatura exterior	(°C)	−10
Congelación máxima admisible	(%)	50

RESULTADOS:

Tiempo que tarda hasta alcanzar los 0 °C	0,4 h
Tiempo que tarda hasta congelación admisible	2,5 h
Tiempo total	3,0 h

Si **se recalcula** para un espesor de 10 mm, obtenemos los resultados siguientes:

RESULTADOS:

Tiempo que tarda hasta alcanzar los 0 °C	1,8 h
Tiempo que tarda hasta congelación admisible	10,5 h
Tiempo total	12,3 h

3.3.12. Prevención de helada para un depósito (opción 5,3)

El problema consiste en averiguar el tiempo que tarda en congelar una fracción determinada de agua en reposo, contenida en un depósito en contacto con un ambiente a menos de 0 °C.

INTRODUCCIÓN DE DATOS:		
Diámetro del depósito	(mm)	1.000
Longitud del depósito	(mm)	1.500
Espesor de aislante	(mm)	0
Conductividad térmica del aislante	(W/m K)	0,040
Coeficiente global superficial	(W/m² K)	16,6
Temperatura inicial	(°C)	10
Temperatura exterior	(°C)	−10
Congelación máxima admisible	(%)	50

RESULTADOS:	
Tiempo que tarda hasta alcanzar los 0 °C	3,6 h
Tiempo que tarda hasta congelación admisible	21,0 h
Tiempo total	24,7 h

3.3.13. Cálculo del aislamiento térmico de hornos (opción 6)

El problema consiste en averiguar el espesor de la pared de un horno para conseguir que las pérdidas de calor a través de sus paredes se ajusten a un valor deseado. La pared está constituida por un máximo de tres capas de distintos materiales. El cálculo se efectúa para una resistencia térmica de una pared supuestamente plana e infinita y se desprecian los coeficientes superficiales interior y exterior.

INTRODUCCIÓN DE DATOS:

Potencia nominal del quemador	(kW)		500
Pérdida máxima admisible por paredes	(%)		10
Temperatura exterior ambiente	(°C)		25
Temperatura interior del horno	(°C)		1.200
Dimensiones interiores del horno: ancho	(m)		1,50
largo	(m)		3,00
alto	(m)		2,00
Resistencia térmica deseada	(m² K/W)		1,00

De t_i a t_{i+1} °C	Resistencia m² K/W	Conductividad m K/W	Espesor m
1.200 700	0,43	1,40	0,596
700 100	0,51	0,20	0,102
100 25	0,06	0,04	0,003

RESULTADOS:

Calor disipado a través de las paredes	40,43 kW
Que equivale a un	8 %

Para ver cómo funciona el programa, podemos ensayar otra resistencia térmica exageradamente menor y dejar los datos restantes como estaban:

Resistencia térmica deseada (m² K/W) 0,50			
De t_i a t_{i+1} °C	Resistencia m² K/W	Conductividad m K/W	Espesor m
1.200 700	0,21	1,40	0,298
700 100	0,26	0,20	0,051
100 25	0,03	0,04	0,001

el programa calcula el espesor de pared 0,350 m con lo cual la esbeltez es 1,5/0,35 >2 y en pantalla aparece la advertencia:

Esbeltez no prevista: muy alta. Toque cualquier tecla.

Pulsando cualquier tecla, volvemos a la introducción de las dimensiones interiores del horno.

Si la esbeltez calculada es muy pequeña, menor que 0,25, aparece la advertencia:

Esbeltez no prevista: muy baja. Toque cualquier tecla.

El usuario debe tener en cuenta que el calor transmitido depende de la resistencia térmica de las paredes, de la superficie del horno y de la diferencia de temperatura entre el interior y el exterior. Si se introduce una potencia térmica de quemador muy pequeña y un tanto por ciento de pérdidas también pequeño, puede ser que no se alcance nunca el valor deseado, o bien que, para lograrlo, deba imponerse una resistencia térmica exageradamente elevada.

176

NOMENCLATURA

Nomenclatura de las variables más frecuentes.

A	= ahorro térmico
C	= coste total
COP	= eficiencia de una máquina frigorífica o bomba de calor
CU	= coste unitario
c_p	= calor específico a presión constante
D	= diámetro
E	= energía radiante emitida por unidad de tiempo y superficie
EP	= energía primaria
e	= espesor
G	= coeficiente de pérdidas de calor por unidad de volumen
GD	= grados-día
GDA	= grados-día anuales
GDM	= grados-día mensuales
Gr	= número de Grashof
g	= aceleración de la gravedad
H	= calor latente de fusión del agua, horas/año de funcionamiento
h	= coeficiente de convección
L	= longitud
M	= masa por unidad de tiempo
m	= masa

N = número de horas/año, número de renovaciones
Nu = número de Nusselt
P = perímetro
Pr = número de Prandtl
p = presión
Q = calor por unidad de tiempo
q = calor por unidad de tiempo y superficie
R = resistencia térmica
R_v = resistencia al paso de vapor
Ra = número de Rayleigh
r = radio
S = superficie
T = temperatura absoluta
t = tiempo, temperatura centígrada
U = coeficiente de transmisión de calor
V = volumen
v = coste unitario de una energía o producto
W = energía
w = permeancia, humedad absoluta

θ = tiempo
β = coeficiente volúmico de dilatación
δ = permeabilidad al vapor
ε = emisividad
ϕ = humedad relativa
η = rendimiento
λ = conductividad térmica
μ = viscosidad dinámica
ν = viscosidad cinemática
ρ = densidad, reflectividad
σ = constante de Stefan-Boltzman
τ = transmisividad

178

BIBLIOGRAFÍA

[1] CORWELL, K.: *The flow of heat*, Van Nostrand Reinhold, Nueva York,1977.

[2] ASHRAE: *Pocket guide for air conditioning*, ASHRAE, Atlanta,1990.

[3] OBERT, EDWARD F. y ROBERT L. YOUNG: *Elementos de termodinámica y transmisión de calor*, Editorial Continental, México, 1965.

[4] ISOVER: *Manual de aislamiento*, Madrid, 1992.

[5] ROCLAINE: *Manual de aislamiento industrial*, Madrid,1991.

[6] HÜTTE: *Manual del ingeniero* (tomo 1), Gustavo Gili, Barcelona,1988.

[7] PERRY, R.H.: *Manual del ingeniero químico*, McGraw-Hill, México, 1992.

[8] LE GOFF y COLS.: *Energetique industrielle*, Thècnique & Documentation, París, 1979.

[9] MIRANDA, A.L.: *La psicrometría*, CEAC, Barcelona, 1996.

[10] MITJÀ, ESTEVE y ESCOBAR: *Estalvi d'energia en el disseny d'edificis*, Generalitat de Catalunya, Departament d'Indústria i Energia, 1986.

[11] *Hornos industriales. Manuales técnicos y de instrucción para conservación de la energía*, Ministerio de Industria, Madrid,1980.

[12] PATEL, M.R. – MEHTA, B.P.S.: «Optimice thermal Insulation», *Hydrocarbon processing* (octubre 1993).

[13] MITCHELL LISS, V.: «Selecting thermal insulation», *Chemical engineering* (mayo 1996).

[14] NBE-CT-79, BOE, Real Decreto 2.429/79 de 6 de julio de 1979, Madrid.

[15] IC– CT-19, BOE, Orden de 16 de julio de 1981, Madrid.

[16] ARMSTRONG: «Permeabilidad al vapor de agua, permeancia y factor de resistencia», *Información Técnica* (noviembre 1992), Madrid.

[17] ARMSTRONG: «Protección de tuberías ante la congelación», *Información Técnica*, Madrid.

[18] HEILINGENSTAEDT: *Thermique appliquée aux fours industrielles*, Dunod. París, 1971.

ÍNDICE

2. APLICACIONES

3. PROGRAMA DE CÁLCULO